GUIA PRÁTICO DE PSICOLOGIA JUNGUIANA

Biblioteca Cultrix
de Psicologia Junguiana

Robin Robertson

GUIA PRÁTICO DE PSICOLOGIA JUNGUIANA

Um Curso Básico sobre os Fundamentos da Psicologia Profunda

Tradução

Maria Silvia Mourão Netto

Editora
Cultrix
SÃO PAULO

Título do original: *Beginner's Guide To Jungian Psychology.*

Publicado originalmente por Nicolas-Hays, Inc., York Beach, ME – USA.

2ª edição 2021.

Editor: Adilson Silva Ramachandra
Gerente editorial: Roseli de S. Ferraz
Gerente de produção editorial: Indiara Faria Kayo
Editoração eletrônica: Join Bureau
Revisão: Vivian Miwa Matsushita

Dados Internacionais de Catalogação na Publicação (CIP)
(Câmara Brasileira do Livro, SP, Brasil)

Robertson, Robin
Guia prático de psicologia junguiana: um curso básico sobre os fundamentos da psicologia profunda / Robin Robertson; tradução Maria Silvia Mourão Netto. – 2. ed. – São Paulo: Editora Pensamento Cultrix, 2021. – (Biblioteca Cultrix de psicologia junguiana)

Título original: Beginner's guide to jungian psychology
ISBN 978-65-5736-110-8

1. Psicologia junguiana I. Título II. Série.

21-68430 CDD-150.1954

Índices para catálogo sistemático:

1. Psicologia junguiana 150.1954
Maria Alice Ferreira – Bibliotecária – CRB-8/7964

Direitos de tradução para a língua portuguesa adquiridos com exclusividade pela
EDITORA PENSAMENTO-CULTRIX LTDA., que se reserva a
propriedade literária desta tradução.
Rua Dr. Mário Vicente, 368 – 04270-000 – São Paulo, SP – Fone: (11) 2066-9000
http://www.editoracultrix.com.br
E-mail: atendimento@editoracultrix.com.br
Foi feito o depósito legal.

SUMÁRIO

ILUSTRAÇÕES

AGRADECIMENTOS

A Ernest Lawrence Rossi, cuja valorização de meus primeiros trabalhos levou-me a perceber que minhas percepções até certo ponto idiossincráticas da psicologia junguiana poderiam ter utilidade para outras pessoas. Naqueles tempos, Ernie muitas vezes compreendeu o que eu estava tentando dizer antes mesmo de mim. Sua convicção pessoal de que não existia dicotomia entre os aspectos científico e espiritual da obra de Jung ajudou-me a formular uma convicção semelhante. Sem seu entusiasmo, apoio e desafio intelectual, duvido que tivesse tido a coragem de encontrar minha própria voz.

Também gostaria de agradecer a ajuda que Richard Messer e James Hollis me prestaram com sua cuidadosa revisão e sugestões de mudanças nas primeiras versões deste livro. Sem suas críticas amistosas, este teria sido um produto muito pior.

Além disso, quero citar as seguintes fontes de pesquisa de material que aparece no início de cada capítulo:

Carl Jung, *The Collected Works of C. G. Jung*. Tradução de R. F. C. Hull, Bollingen Series XX (Princeton: Princeton University Press).

Vol. 8: *The Structure and Dynamics of the Psyche*, Copyright © 1960, 1969, 111.

Vol. 18: *The Symbolic Life*, Copyright © 1980, 13.

Vol. 18: 14.

Vol. 6: *Psychological Types*, Copyright © 1971, 558.

Vol. 17: *The Development of Personality*, Copyright © 1954, 331b.

Vol. 17: 338.

Robin Robertson, *C. G. Jung and the Archetypes of the Collective Unconscious* (Nova York: Peter Lang, 1987), p. 138.

As seguintes fontes foram usadas para a pesquisa das ilustrações que aparecem no livro: *Dore's Spot Illustrations*, selecionadas por C. B. Grafton, Dover Pictorial Archive Series, Nova York: Dover Publications, 1987, figuras 1, 10, 20; *Magic, Supernaturalism and Religion*, de Kurt Seligman, Nova York: Pantheon Books, 1948, figura 2; *Witchcraft, Magic & Alchemy*, de Grillot de Givry, Nova York: Dover Publications, 1971, figura 4; *1001 Illustrations of the Lively Twenties*, org. por C. B. Grafton, Nova York: Dover

Pictorial Archive Series, Dover Publications, 1986, figuras 9, 12, 15; William Morris: *Ornamentations & Illustrations from the Kelmscott Chaucer*, Nova York: Dover Pictorial Archive Series, Dover Publications, 1973, figura 11; *Pictorial Archive of Decorative Renaissance Woodcuts*, org. por Jost Amman, Nova York: Dover Pictorial Archive Series, Dover Publications, 1968, figuras 13, 14, 16; *Humorous Victorian Spot Illustrations*, org. por C. B. Grafton, Nova York: Dover Pictorial Archive Series, Dover Publications, 1985, figura 17.

Capítulo 1

JUNG E O INCONSCIENTE

Todo avanço cultural é, no plano psicológico,
uma ampliação da consciência, um conscientizar
que só pode ocorrer mediante discriminação.

CARL JUNG

Este livro trata da psicologia descoberta por Carl Gustav Jung na primeira metade do século XX e de sua relevância para nós nesta nossa passagem para o século XXI. Jung foi um pensador verdadeiramente original cujas ideias ainda são em grande medida desconhecidas ou mal compreendidas. Ele nem sempre esteve certo: os pioneiros nunca estão. Sua visão da realidade era tão diferente das concepções então vigentes que muitas vezes tem sido difícil para seus colegas psicólogos e cientistas captar o real significado do que dizia.

A tarefa de compreendê-lo não foi facilitada por um estilo narrativo que era, ao mesmo tempo, demasiado literário para os colegas acadêmicos e erudito demais para seus admiradores literários. Os artistas e escritores saíram-se melhor que os acadêmicos em seu esforço de chegar a entender a essência de Jung, mas, em muitas ocasiões, generalizaram com certa pressa, incapazes como se sentiram de lidar com a amplidão e a profundidade das concepções junguianas.

Estarei neste livro tentando apresentar um quadro integrado do pensamento de Jung, talvez mais unificado do que o que encontramos em seus escritos coligidos, mas que a meu ver consiste numa boa apresentação de suas ideias. Minha ênfase incidirá na utilidade prática de suas ideias, pois ele tem sido frequentemente descartado como impraticável e fantasioso. Antes de tudo, porém, quero apresentar algumas noções da espécie de homem que foi Jung, de como e por que ele enfim desenvolveu a mais original visão de mundo do século XX.

JUNG E FREUD

Como Sigmund Freud, seu ainda mais famoso mentor, Jung era médico e tornou-se um dos primeiros a se aventurar no novo campo da psicanálise. Embora fosse psicólogo clínico, Jung também conduziu pesquisas pioneiras na psicologia experimental, as quais posteriormente permitiram a produção do detector de mentiras (cujo emprego equivocado Jung teria abominado). No entanto, Jung chamou a princípio a atenção de Freud com seu conceito de *complexo* (ou seja, sentimentos, imagens e lembranças de tal maneira agrupados em torno de um único conceito, como o de "mãe", que formam um núcleo dentro da mente). Os complexos serão mais extensamente discutidos nos Capítulos 2 e 3. Freud era dezenove anos mais velho que Jung e já havia produzido boa parte de sua grande obra. Até então a psicanálise era quase desconhecida e Freud era ignorado ou insultado tanto pela classe médica como pelos acadêmicos.

Não se poderia apresentar uma situação mais perfeita para Jung cultuar Freud como herói, nem Freud "adotar" um discípulo escolhido. Em 1906, Jung encontrou-se com Freud e logo em seguida tornou-se seu colega favorito e, depois, provável sucessor. Infelizmente para as expectativas de Freud, Jung não era talhado para ser discípulo de ninguém. Freud e Jung eram tipos diferentes de homens que enxergavam o mundo de maneiras muito diferentes (como veremos quando discutirmos a teoria junguiana dos tipos psicológicos, no Capítulo 4).

Freud estava com 50 anos e sentia que já descobrira as ideias essenciais que descreviam a estrutura e a dinâmica da *psique* humana. (*Psique* é a palavra que Jung usava para descrever a totalidade de nossos processos psicológicos. Parece uma escolha melhor do que cérebro ou mente, já que nem se limita ao físico, nem se afasta dele.) Freud queria seguidores que adotassem suas ideias e trabalhassem no desenvolvimento de suas decorrências. Embora Jung admirasse Freud e embora muitas de suas ideias fossem úteis, ele considerava a psique humana muito mais complexa do que o proposto por Freud. Enquanto as teorias freudianas cristalizavam-se em dogmas, Jung prosseguia seu próprio trabalho com os pacientes aonde quer que este o levasse. E ele o levava a paragens que não cabiam na teoria de Freud.

SÍMBOLOS DA TRANSFORMAÇÃO

O conceito freudiano de complexo de Édipo, por exemplo, impressionou profundamente Jung mas este viu algo diferente do pretendido por Freud. Em resumo, Freud afirmava que o tabu do incesto está no íntimo de cada um de nós. Sendo ubíquo, teria que invariavelmente encontrar meios de expressão em nossos mitos e literatura. Freud pensava que sua expressão mais bem-acabada estava no mito de Édipo que, sem o saber, havia assassinado o pai Laio e casado com a mãe Jocasta. Quando Édipo e Jocasta finalmente descobrem a verdade, ela se suicida e Édipo cega a si mesmo. Freud diz que este é um conflito primário, repetido incessantemente em todas as vidas, em especial na de meninos com idade entre 4 e 5 anos. Nessa fase da vida (segundo Freud), eles amam intensamente a mãe e odeiam o pai.

Freud fez do complexo de Édipo a pedra angular de sua teoria; era este o elemento singular mais significativo, no plano psíquico, como alicerce do desenvolvimento masculino. Para Jung existia algo muito mais excitante na descoberta de Freud: a ideia de que todos os mitos antigos ainda vivem dentro de cada um de nós. Na história de Édipo, enquanto Freud encontrava uma descrição de todo desenvolvimento psíquico, Jung enxergava um exemplo único de uma multidão de invariantes psíquicas, no íntimo de cada um de nós.

O famosíssimo matemático grego Arquimedes era um homem deveras raro: era um teórico que conseguia tornar suas teorias aplicações práticas. Usava relações matemáticas para projetar engenhosas combinações de polias e alavancas que empregava para deslocar objetos enormes. Corre um relato apócrifo segundo o qual, inflamado por seu sucesso, Arquimedes teria exclamado: "Dê-me um lugar sobre o qual me firmar e eu moverei a Terra!".

Como Arquimedes, Jung deu-se conta de que Freud havia descoberto um exemplo ímpar de como a psicologia conseguia escapar da história pessoal tornando-se a história da raça, conforme os registros da mitologia. Essa abordagem histórica oferecia-se tanto como local onde se firmar fora do âmbito do paciente individual quanto na qualidade de alavanca para mobilizar a psique da pessoa. Jung começou imediatamente a investigar essa nova e promissora direção de estudos na psicologia.

Em 1912, publicou os primeiros frutos de sua pesquisa num livro intitulado *Transformações e Símbolos da Libido* (posteriormente reescrito em grande parte e publicado como *Símbolos da Transformação*, em 1952). Nele, Jung propunha a herética noção de que a libido não era apenas energia sexual, e sim energia psíquica, e que a imagem num sonho era muito mais do que um simples rébus que podia ser decodificado para revelar um desejo sexual proibido. Numa estonteante demonstração de trabalho pericial de erudição, Jung mergulhou no campo da mitologia como um todo para amplificação das fantasias de uma única mulher, que se encontrava nos primeiros estágios da esquizofrenia. (A mulher, chamada de "srta. Frank Miller", era paciente de Theodore Flournoy, que em 1906 havia publicado suas fantasias.)

Onde Freud "reduzia" fantasia e imagem de sonho a uma única referência mitológica (o complexo de Édipo), Jung "amplificava" as imagens da fantasia da paciente, mostrando a existência de paralelos nas mais variadas mitologias de múltiplas culturas e eras. Conforme as fantasias iam se desenvolvendo, ele pôde demonstrar a emergência de um padrão que inelutavelmente encaminhava a psique para uma cisão: a esquizofrenia.

De que maneira as imagens das fantasias de uma mulher poderiam repetir temas míticos com milhares de anos de idade, mitos que a mulher jamais conhecera? Segundo nossa visão de mundo atual, as pessoas nascem como livros em branco nos quais a experiência vai registrando suas histórias. Talvez tudo estivesse só na imaginação de Jung. Talvez sua análise não fosse mais que uma arguta ficção. Teria Jung razão quando relacionava as fantasias da srta. Miller a padrões mitológicos que ele conseguia interpretar como os vários estágios que conduziam à esquizofrenia?

Bem, sim: ele estava certo. Quando, algum tempo mais tarde, Jung discutiu suas conclusões com Flournoy, este confirmou que o desenrolar da enfermidade daquela mulher aproximava-se muito do padrão descrito por Jung. É difícil explicar como isso poderia se dar a menos que haja um substrato coletivo na psique, que a abastece de imagens míticas, sonhos e fantasias.

Para Freud isso era demais e ele logo rompeu a relação com Jung. Os freudianos desde então têm ficado do lado de Freud para explicar as razões da ruptura; os junguianos tomam o partido de Jung. O provável, contudo, é que talvez fosse inevitável a separação entre eles, pois enxergavam o mundo por prismas diferentes. Como muitos outros pais e filhos (pois era esta a essência da relação entre Freud e Jung), Freud sentiu-se traído por Jung e este sentiu-se abandonado por aquele. Há validade relativa nas duas visões. Por sua insistência numa independência total das convenções, Jung teria sido um filho difícil para qualquer pai tolerar. Com suas visões fortes (e às vezes rígidas) acerca da natureza da psique, Freud era um pai impossível de tolerar. (Quase todos nós "filhos" psicanalíticos fomos abandonando-o, um depois do outro, começando com Adler.)

Compreensível ou não, esta foi uma pílula difícil para Jung engolir. Durante o resto de sua vida, Jung foi forçado a trilhar um caminho solitário em sua exploração dos fundamentos coletivos da consciência individual. O livro que você está prestes a ler trata da descoberta e da investigação de Carl Jung a respeito do "inconsciente como uma psique objetiva e coletiva" que posteriormente ele denominou apenas de "inconsciente coletivo". Chamou-o de "coletivo" por consistir em imagens e padrões de comportamento que não tinham sido adquiridos pelas pessoas ao longo da vida, mas que, não obstante, encontravam-se disponíveis a todos os indivíduos em todas as épocas; "inconsciente" porque não pode ser alcançado pela percepção consciente.

MITOS EM NOSSA VIDA

Os cientistas e acadêmicos têm habitualmente escarnecido do conceito de um inconsciente coletivo. Eles "sabem" que é impossível às pessoas ter qualquer recordação que não se refira a coisas adquiridas durante suas vidas. Parece uma noção bastante bizarra para quem, como nós, foi criado nestes tempos supostamente racionais. Numa época em que nos desgastamos em vão em busca de valores espirituais ausentes, fingimos que o espírito pode ser reduzido à mente. Numa época em que cada vez mais vivemos no plano de nossa mente, distantes do mundo natural que nos cerca, fingimos que a mente pode, por sua vez, ser reduzida ao cérebro. Estamos convictos de que existe uma explicação material para todas as coisas. Qualquer outra descrição da realidade é descartada como superstição primitiva.

No entanto, em virtude desse materialismo, vivemos isolados e alienados uns em relação aos outros. A solidão e o desespero tornaram-se as condições normais de vida para nossa avançada civilização ocidental. Confinados dentro de nós mesmos, ansiamos desesperados por um senso de vinculação – com o nosso trabalho, a nossa religião, outra pessoa, o mundo à nossa volta, nós mesmos.

A psicologia junguiana oferece uma possibilidade para esse beco sem saída. Não é uma resposta total, mas representa a chance de uma nova maneira de ver o mundo. Em contraste com o frio e impessoal mundo mecânico do materialismo, Jung descreve um mundo pessoal, afetivo, orgânico em que cada pessoa está ligada a todas as outras, em que cada um está conectado a todos os demais aspectos do universo. No entanto, cada indivíduo ainda é um ser singular, vivendo um destino único, que ele denomina *individuação* (ou seja, o caminho de desenvolvimento que cada qual percorre em sua vida).

Tal como qualquer outra visão abrangente, a imagem dada por Jung para compreender a realidade deixa sem resposta inúmeras questões. O conceito de inconsciente coletivo abre muitas portas que até então estiveram fechadas ao pensamento ocidental. A psicologia (assim como a filosofia e a ciência do século XX) tem tradicionalmente enfrentado as problemáticas questões que Jung apresenta limitando-se àquelas a que pode responder. Todas as outras indagações, em especial as de ordem metafísica, são consideradas absurdas (ou literalmente "sem" sentido, irrelacionáveis a descrições sensoriais). Infelizmente (ou felizmente, a meu ver), o mundo é mais complexo do que os nossos sistemas de pensamento. A psicologia de Jung honra toda a complexidade que cada um de nós vivencia diante do mundo. Se ele não consegue dar respostas a todas as perguntas, pelo menos não nega que elas existam.

O conceito de inconsciente coletivo de Jung não é nem uma construção filosófica, nem um dogma religioso; é uma tentativa, conquanto às vezes possa parecer primitiva, de apresentar uma descrição acurada do mundo interior da psique e sua relação com o mundo material externo. Ele descobriu que esse mundo existia investigando cuidadosamente os sonhos de seus pacientes, para depois relacioná-los a temas semelhantes que havia descoberto em contos de fada, na mitologia, na arte e na cultura do mundo inteiro.

Não se tratou de um exercício acadêmico; ele se voltou para a mitologia porque ela o ajudou a entender e curar pacientes que padeciam de problemas reais. Por exemplo, ele descobria um símbolo no sonho de um paciente que o intrigava. Procurava na mitologia e encontrava um mito em que aquele símbolo havia ocorrido antes. Uma vez que mitos são histórias a respeito de conflitos humanos, Jung conseguia compreender o conflito que o paciente estava vivenciando, e que ele mesmo havia mantido oculto de si e de Jung. Se os sonhos não têm sentido, deve ter sido puro acaso o fato de o sonho repetir uma imagem da mitologia. O conflito refletido no mito pouco ou nada teria tido a ver com o verdadeiro problema do paciente. Mas tinha. Inúmeras vezes apareciam as redes de associação (como ainda acontece).

Não precisamos ter fé para aceitar a visão junguiana da realidade; basta-nos ter coragem para uma investigação honesta de nosso próprio mundo interior, como Jung fez. Esse trabalho de exploração é facilitado pelo recurso às investigações de Jung, que, ao executá-las, elaborou um mapa desse território. Não é indispensável que aceitemos esse mapa como artigo de fé. Jung sempre nos advertiu que lidássemos com a psique como se nada soubéssemos a seu respeito. Não obstante, se observarmos com cuidado aquilo que se nos depara em nossa vida interior, vamos descobrir que nossas observações se encaixam bem no modelo de Jung. Isso é porque existe de fato um inconsciente coletivo; não se trata de mera teoria.

Depois de desbastarmos tudo o que é pessoal na psique, percebemos que algo permanece, algo que é comum a todos os homens e mulheres, de todos os tempos e culturas. Por ser literalmente inconsciente, não podemos vivenciá-lo de maneira direta. Como os físicos especialistas no estudo das partículas, quando observam as trilhas formadas pelos elementos subatômicos numa câmara de bolhas, temos que observar o inconsciente por meio dos rastros que ele deixa em nossos sonhos e fantasias. Mas podemos construir modelos com base nessas observações, modelos que descrevem (insisto, descrevem, não explicam) tanto sua estrutura como sua relação dinâmica com a consciência.

Antes de embarcar em nossa viagem, precisamos saber algumas coisas a respeito desse homem notável – C. G. Jung – para que possamos compreender melhor como foi que ele conseguiu efetuar suas singulares descobertas.

VÍNCULOS COM A NATUREZA

Carl Jung nasceu em Kesswil, uma região rural da Suíça, em 1875. Seu pai era ministro e, quando Carl estava com 6 meses, mudou-se com a família para uma nova paróquia da qual novamente se mudou, quando o menino estava com 4 anos. As duas paróquias ficavam na zona rural (embora a última estivesse localizada perto de Basileia). Jung foi uma criança solitária, sem irmãos ou amiguinhos com quem brincar até começar a frequentar a escola (sua irmã nasceu quando ele estava com 9 anos). Distante da companhia de outras crianças, foi forçado a recorrer a si mesmo e à sua vida interior e também à beleza do mundo natural à sua volta. Embora sua vida adulta viesse a ser repleta de amores e amizades significativas, sempre foi um solitário que acreditou fortemente que o conhecimento deve, em última análise, fundar-se na observação direta.

Na época de Jung, a Suíça rural vivia ainda num mundo de montanhas e lagos, florestas e campos, que em centenas de anos não haviam sofrido alterações significativas. Os suíços têm mantido a política de neutralidade diplomática desde 1515, desejando apenas paz e estabilidade (embora esse equilíbrio tenha sido abalado durante o reinado de Napoleão). Como nação, os suíços são imperturbáveis, pragmáticos, assentados na abundância natural que os cerca. É importante reconhecer esse traço suíço de ligação com a terra, em Jung, pois muitos zombam de sua descrição da psique como fruto de fantasia.[1]

---

1 A propensão de Jung a atribuir características a nações e raças tem suscitado a ira de muitos críticos. Estes confundem observações honestas com preconceito. Não sabem todos que cada cultura tem seus traços característicos? Os alemães e os franceses têm lutado durante quase toda sua história tanto em

A natureza iria prover-lhe uma fonte de conforto e revitalização das forças durante toda a sua vida. Já adulto, logo depois de se casar em 1903, Jung construiu a casa em que iria morar pelo resto da vida, em Kussnacht, às margens do lago de Zurique. Em 1923, depois da morte de sua mãe, ele ainda construiu uma torre de pedra perto de Bollingen. Dessa época até sua morte em 1961, ele passaria a dividir seu tempo entre a convivência com a família em Kussnacht e os dias vividos em isolamento primitivo, na sua torre em Bollingen. Fez-lhe acréscimos em 1927, 1931, 1935 e um anexo final, pouco depois de falecer-lhe a esposa, em 1955. Aprendeu a trabalhar em pedreiras e a talhar pedras para poder efetuar pessoalmente uma boa parte do trabalho de construção de sua torre. Num tom comovente, Jung descreve sua relação com a torre e a natureza em sua autobiografia espiritual *Memórias, Sonhos, Reflexões.*

> Em Bollingen estou imerso na minha vida verdadeira, sou eu mesmo em toda a profundidade[...] Às vezes sinto-me espalhado pela paisagem, dentro das coisas, e sou eu mesmo vivendo em cada árvore, no som das ondas que quebram na margem, nas nuvens e nos animais que vêm e

---

razão de diferenças de percepção do mundo como em razão de questões territoriais. Dizer que uma nação tem certos atributos não é insistir que todas as pessoas os têm, nem eliminar a individualidade de ninguém. Reconhecer que as nações possuem personalidades diferentes é o mesmo que reconhecer que cada pessoa possui personalidade própria.

vão, na procissão das estações. Nada há na Torre que não tenha alcançado sua forma própria ao longo das décadas, nada com que eu não tenha uma ligação. Aqui tudo tem sua história e a minha. Aqui existe espaço para o reino inespacial dos recessos do mundo e da psique.[2]

FORÇAS OCULTAS

Diversamente dos que moram nas cidades, os habitantes de zonas rurais reconhecem que o mundo está repleto de forças invisíveis. Os que vivem em contato próximo com a natureza, observando os ciclos anuais de nascimentos, mortes e renascimentos, conhecem o poder oculto que está por trás do aparente lugar-comum. Como o descreve Wordsworth em "Tintern Abbey",

> ... A sense sublime
> Of something far more deeply interfused,
> Whose dwelling is the light of setting suns,
> And the round ocean and the living air,
> And the blue sky, and in the mind of man:
> A motion and a spirit, that impels
> All thinking things, all objects of all thought,
> And rolls through all things.[3]

---

[2] C. G. Jung, *Memories, Dreams, Reflections* (Nova York: Pantheon Books, 1973, ed. revista), pp. 225-26.

[3] Jack Stillinger, org., *William Wordsworth: Selected Poems and Prefaces* (Boston: Houghton Mifflin Company, 1985), p. 110.

[... Sublime sensação
De algo tão mais profundamente impregnado,
Cuja morada é a luz dos ocasos,
E o oceano redondo e o ar vivo,
E o céu azul, e na mente do homem:
Um movimento, um espírito, que impele
Todas as coisas pensantes, todos os objetos de todo pensamento
E revolve em todas as coisas.]

Esse também foi o mundo de Jung. Seu pai, no entanto, era a espécie de ministro que nunca conseguiu viver em paz com esse âmbito espiritual. Sua religião era árida, dessecada, porque ele nunca acreditara na sua própria vocação. Jung não iria encontrar um pai adequado antes de sua juventude, quando conheceu Freud. Em lugar dele, Jung recorria à mãe para obter apoio espiritual. Ela o fez travar conhecimento com Goethe e sua eterna história da tentação de Fausto pelo demônio Mefistófeles. A história do conhecimento interior e do poder interior oculto, e os conflitos morais causados por esse conhecimento e poder, iriam fascinar Jung pela vida afora.

Mais tarde, como aluno universitário, Jung leu metodicamente tudo o que pôde a respeito de fenômenos paranormais. Sua atitude perante tais fenômenos era típica de uma postura que manteve por toda a vida diante de outras questões irracionais e supersticiosas: nem aceitava as explicações que lia às cegas, nem as condenava como questão de princípio. Em vez disso, entregava-se ao fascínio desses estranhos eventos e tentava discuti-los com os amigos. Estes afastavam-se de tais tópicos, mas Jung sentia que aquele menosprezo ocultava ansiedade. Ele se perguntava por que os amigos teriam tanta certeza de aquelas coisas serem impossíveis. E, na qualidade de psicólogo iniciante que era, indagava-se pelo menos o mesmo tanto por que os outros sentiriam tanta ansiedade diante desse tópico.

Em 1902, escreveu seu primeiro artigo científico a respeito de uma série de sessões espíritas a que tinha comparecido. Essas sessões haviam sido conduzidas por uma moça (aliás, sua prima) que conquistava fama local e temporária como médium. Jung ficou fascinado quando percebeu que, às vezes, as mensagens comunicadas num transe possuíam uma autoridade e uma inteligência maiores do que as manifestadas pela moça no seu estado normal de consciência. Isso nem sempre acontecia: às vezes, as mensagens eram apenas miscelâneas de informações absorvidas pela prima no curso de sua vida cotidiana e de suas leituras. Era, porém, essa outra voz de autoridade que interessou Jung.

PERSONALIDADE NÚMERO 1 E PERSONALIDADE NÚMERO 2

Jung teve experiências pessoais ainda na meninice que atestaram para ele o poder oculto no interior da psique. Quando estava com 12 anos, e o pai de um amigo o repreendeu por desobediência,

Jung reagiu com uma fúria inusual. Não conseguia acreditar na audácia daquele homem, ousando criticar alguém tão importante quanto ele se julgava ser. Nesse momento, Jung sentiu que era um senhor poderoso e rico, alguém a ser respeitado e obedecido. Quase antes de esse pensamento lhe atravessar a mente, ficou estupefato pelo contraste absurdo entre esse homem idoso e respeitável e o escolar que na realidade estava postado de pé diante do pai de seu amigo. Como reconciliar duas imagens tão disparatadas?

Chegou a compreender que continha duas personalidades diferentes: o juvenil garoto que o mundo via e um ancião poderoso que já vira e fizera muitas coisas pelas quais o menino ainda precisaria passar. Essa personalidade mais velha era bastante específica: Jung visualizava-a como um cavalheiro idoso, do século XVIII, rico e influente, uma imagem completa com "sapatos de fivelas e uma peruca branca".

Jung continuou vivenciando esse "outro", que ele chamou de personalidade nº 2 (em contraste à sua personalidade nº 1, normal), durante a sua vida. Embora fosse ainda bastante jovem, percebeu que esta era uma parte positiva de sua psique, e não algo a ser temido como indicação de que era louco. Muitas pessoas, em circunstâncias semelhantes, teriam considerado a nº 2 como evidência de reencarnação, como prova de que ele estava vivenciando uma existência passada. Jung jamais considerou a nº 2 nesses termos. Pelo contrário, a nº 2 parecia-lhe uma personificação de outra metade de sua personalidade que normalmente permanecia oculta à sua consciência. Mais tarde, passou a chamar essa metade oculta de *inconsciente coletivo*.

Antes disso ainda, Jung havia se deparado com essa personalidade gêmea em sua mãe. Normalmente, ela era uma senhora obesa gentil, convencional, mas de vez em quando vislumbrava indícios de outra personalidade, dotada de um conhecimento e uma autoridade infinitamente maiores. Essa personalidade nº 2 em sua mãe costumava aparecer à noite, figura estranha, mais para vidente que para mãe. Jung sentia-se tanto fascinado como aterrorizado por esse lado de sua mãe, e esse par de emoções ficou-lhe mais tarde evidente como característico de todos os momentos de encontro com o inconsciente coletivo.

Assim sendo, apresentamos até aqui os elementos mais essenciais à formação dos antecedentes que mais tarde encaminharam Jung para a descoberta e a investigação do inconsciente coletivo: 1) o buscador solitário da verdade; 2) a devoção de uma vida inteira à natureza em si, em lugar de preferir teorias a respeito da natureza; 3) a recusa em refutar experiências incomuns com base em argumentos racionalistas; 4) a vivência em si, na prima e na mãe, de um conhecimento e uma autoridade incrivelmente maiores, que chamou de personalidade nº 2.

Ao longo de toda a sua carreira, Jung descreveu o que encontrava na psique, em vez de explicá-lo. Como muitos outros cientistas, e em grande medida ele foi um cientista, Jung desenvolveu "modelos" a fim de estruturar os fatos psíquicos que estava catalogando. Contudo, ele sempre considerou provisórios esses modelos e nunca deixou de ir em busca de outros, melhores. O próximo capítulo descreverá um dos modelos junguianos para a estrutura básica da psique e ilustrará uma parte da complexidade das relações entre a consciência e o inconsciente. Nos capítulos finais, discutiremos a visão que Jung tinha dos sonhos, seu modelo dos tipos psicológicos e, em seguida, seu modelo principal para o processo de individuação.

Capítulo 2

A PSIQUE

A mente consciente, além disso, é caracterizada por uma determinada estreiteza. Só consegue conter uns poucos conteúdos simultâneos a cada momento dado. Todo o resto é inconsciente naquele instante, e só podemos atingir uma espécie de continuação ou um entendimento geral ou percepção consciente de um mundo consciente por meio da sucessão de momentos conscientes. Nunca conseguimos conter uma imagem da totalidade porque nossa consciência é por demais estreita [...] A área do inconsciente é enorme e sempre contínua, enquanto a da consciência é um campo restrito de visão momentânea.

CARL JUNG

Segundo Jung, a consciência – o aparente *sine qua non* da humanidade – é tão somente a ponta do *iceberg*. Por baixo dela, encontra-se um substrato muito maior de recordações pessoais, sentimentos ou condutas esquecidas ou reprimidas que Jung denominou inconsciente pessoal. E por baixo dele está o mar abissal do inconsciente coletivo, imenso e ancestral, repleto de todas as imagens e comportamentos que vêm sendo repetidos incontáveis vezes ao largo de toda a história não só da humanidade, mas da própria vida. Como disse Jung: "[...] e quanto mais fundo se vai, mais ampla se torna a base".[1]

Se o modelo de Jung parece um pouco difícil de aceitar, lembre-se de que até mesmo homens e mulheres modernos vivem uma parte muito pequena de suas vidas no plano da consciência. Nossos ancestrais mais remotos conseguiram viver e morrer com uma consciência individual ainda menor. Se nossos mais próximos primos e contemporâneos – os chimpanzés e grandes símios – são representantes de nossos ancestrais hominídeos, eles contam com certo nível de autoconsciência, mas sem dúvida muito menos do que a nós está disponível. Conforme retrocedemos no caminho do desenvolvimento evolutivo, atingindo a escala dos animais menos desenvolvidos que os chimpanzés, símios e hominídeos, o grau de consciência vai se atenuando cada vez mais até

---

1 Carl Jung, *The Collected Works of C. G. Jung*, trad. R. F. C. Hull, Bollingen Series XX, vol. 5: *Symbols of Transformation*, copyright © 1956 (Princeton: Princeton University Press), p. XXV. Todas as próximas referências aos *Collected Works* de Jung serão feitas a essa série, com essa tradução.

tornar-se difícil pensar que ainda exista consciência numa ameba, por exemplo; serão as amebas conscientes?

O biólogo e filósofo alemão do século XIX, Ernst Haekel, dizia que "a ontogênese recapitula a filogênese", quer dizer, o desenvolvimento de uma pessoa passa pelos mesmos estágios que o desenvolvimento evolutivo da espécie.[2] Embora a magnífica colocação de Haekel seja até certo ponto exagerada, nem por isso deixa de ser verdade que cada um de nós contém grande parte do registro de nossa história evolutiva entretecida na estrutura de nosso corpo. Nosso trato alimentar funciona muito como as criaturas tubulares que nadaram nos oceanos primevos há mais de meio bilhão de anos; como nosso trato alimentar, elas eram pouco mais que um tubo por meio dos quais nutrientes podiam passar e ser absorvidos para serem usados como alimento. A parte mais elementar de nosso cérebro – a medula espinhal, a parte posterior do cérebro e o mesencéfalo (que o cientista Paul MacLean chama de o "chassi neurológico") – não ficaria deslocada nos peixes que nadavam há quatrocentos milhões de anos em nossos mares.

Em *The Dragons of Eden*,[3] Carl Sagan popularizou o modelo triuno de cérebro proposto por MacLean, segundo o qual o cérebro que cerca o chassi neurológico consiste em três cérebros

---

2 W. L. Reese, *Dictionary of Philosophy and Religion* (Atlantic Highlands, NJ: Humanities Press, 1980), p. 206.

3 Carl Sagan, *The Dragons of Eden: Speculations of the Evolution of Human Intelligence* (Nova York: Ballantine Books, 1977).

separados, cada um deles situado sobre o outro e cada um deles representando um estágio da evolução. Indo do mais antigo para o mais recente, esses três cérebros seriam caracterizáveis da seguinte maneira:

1) o complexo R, ou *cérebro réptil*, que "desempenha um importante papel no comportamento agressivo, na territorialidade, no ritual e no estabelecimento das hierarquias sociais".[4] O complexo R provavelmente apareceu com os primeiros répteis, há cerca de um quarto de bilhão de anos;
2) o sistema límbico (que inclui a glândula pituitária), ou *cérebro mamífero*, que controla em grande parte nossas emoções. Ele "governa a consciência social e os relacionamentos – a sensação de pertinência e importância afetiva, a empatia, a compaixão e a preservação grupal".[5] Provavelmente apareceu há não mais que 150 milhões de anos; e finalmente,
3) o neocórtex, *o cérebro primitivo*, "mais orientado que os outros para os estímulos externos".[6] Este controla as funções cerebrais superiores, como o raciocínio, a deliberação

---

4 Sagan, *The Dragons of Eden*, p. 63.

5 "Gray's Theory Incorporates Earlier Evolutionary Model of 'Triune Brain'", *Brain/Mind Bulletin* (29 de março de 1982), p. 4.

6 Idem.

> e a linguagem. O neocórtex também controla tarefas complexas de percepção, especialmente o controle da visão. Na realidade, embora nenhum acrônimo descreva com exatidão sua complexidade, denominar o neocórtex de "cérebro visual" não está assim tão longe de uma exatidão terminológica. Embora seja provável que tenha aparecido nos mamíferos superiores "há várias dezenas de milhões de anos [...] seu desenvolvimento acelerou-se grandemente nos últimos milhões de anos, quando surgiram os seres humanos".[7]

Os períodos de tempo durante os quais cada um desses três cérebros reinou com soberania podem ser igualmente bem considerados estágios de desenvolvimento da consciência. As extensões relativas de tempo desde que cada um dos níveis começou a se desenvolver correspondem aproximadamente à quantidade de controle que cada um exerce sobre a nossa vida (embora aqui eu esteja forçando um pouco o ponto). Até este momento, o regulador mais indispensável da vida humana tem sido o chassi neurológico, que dirige as funções autônomas do nosso corpo.

Duvido que chegássemos a cogitar dessas funções como algo, em alguma medida, consciente. Não obstante, classes inteiras de criaturas vivas ainda vivem e morrem num nível de desenvolvimento que não é superior ao de nosso chassi neurológico – os

---

[7] Sagan, *The Dragons of Eden*, p. 58.

insetos, os moluscos, os peixes etc. Haveria algum sentido em que seriam conscientes? Talvez sim. Por exemplo, a percepção da dor é uma espécie de consciência e é preciso descer muito na escala evolutiva para se chegar ao patamar em que está ausente toda e qualquer evidência de consciência da dor. Ou suponhamos um nível muito baixo de consciência: até mesmo a ameba precisa reconhecer a diferença entre o alimento que come e os inimigos dos quais se afasta para poder sobreviver. Embora este possa ser um reconhecimento totalmente instintivo, essas duas situações ainda constituem para a ameba experiências internas diferentes. E essas diferenças de experiência interna são os primórdios da consciência.

CONSCIÊNCIA E O CÉREBRO TRIUNO

É quando passamos para o mais antigo dos três cérebros evolutivos de MacLean, o cérebro réptil, que começamos a encontrar comportamentos interiores mais característicos da consciência. Contudo, a consciência réptil ainda está muito distante daquilo que normalmente consideramos a consciência humana. Uma vez que a consciência réptil não contém um elemento de emoção, estamos justificados em associá-la a uma amoralidade que nos repugna. Os répteis, num sentido bastante literal, são seres de sangue frio, termo que usamos para nos referir a pessoas sem calor afetivo. Contudo, uma boa parte de nossa vida ainda é governada pelo cérebro réptil, a saber: é esse sistema que nos impele a proteger e ampliar o nosso "território", conceito que se tornou generalizado nos humanos num sentido que em muito ultrapassa o território físico.

Embora possamos estar inconscientes quanto à dinâmica subjacente de nossas ações quando estas são mobilizadas pelo cérebro réptil, estamos conscientes dentro dos parâmetros estipulados por esse cérebro. Quando o cérebro réptil está no comando, somos em grande medida movidos por instintos antigos e profundos, mas estes são instintos sobre os quais temos certo grau de controle, pelo menos o suficiente para adaptá-los ao nosso meio ambiente.

A mais famosa representação do nível reptiliano de consciência no mundo ocidental é a história bíblica de Eva e a serpente. A serpente convence Eva a comer o fruto da árvore do conhecimento do bem e do mal. Antes de comê-lo, Adão e Eva viviam como os outros animais, contentes, no Paraíso. Em outras palavras, enquanto homens e mulheres forem inconscientes (no sentido que a Bíblia considera os animais), eles estão no Paraíso. Assim que se tornam conscientes, a vergonha passa a fazer parte do quadro e o Paraíso está perdido. E essa nova consciência é representada pela serpente – o cérebro réptil.

A mitologia egípcia nos conta outra história a respeito do nascimento do nível reptiliano da consciência. O deus da criação Rá (que muito se parece com Jeová) tinha envelhecido e estava debilitado. Sua filha, Ísis, não conseguindo gerar vida sozinha, formou uma serpente do barro que estava aos seus pés e a

Figura 1. As serpentes aparecem em nossos sonhos quando estamos avançando rumo a um novo nível de percepção porque nossa compreensão espiritual mais elevada está alicerçada em nossos impulsos instintivos mais profundos. (*Serpente, em Fábulas de La Fontaine*. Reprodução extraída de *Dore's Spot Illustrations*.)

colocou no caminho de Rá. Quando a saliva de Rá caiu sobre a cobra, ela ganhou vida e mordeu Rá no tornozelo. Uma vez que não havia criado nada que pudesse feri-lo dessa maneira, ele não sabia o que fazer. Foi ficando cada vez mais doente. Ísis disse que não conseguiria curá-lo enquanto ele não lhe contasse seu nome secreto, que continha seu poder. Finalmente, movido pelo desespero, Rá disse a Ísis seu nome. Embora ela o tivesse usado para curá-lo, também o divulgou ao seu irmão/marido Osíris. A era de Rá cedeu lugar à era de Osíris.

> [...] Todo passo rumo a uma consciência maior é uma espécie de culpa prometeica: por meio do conhecimento,

> os deuses são como que destituídos de seu fogo, quer dizer, algo que era a propriedade dos poderes inconscientes é arrancado de seu contexto natural e subordinado aos caprichos da mente consciente.[8]

O interessante é que as serpentes ainda aparecem em nossos sonhos quando estamos irrompendo num novo patamar de percepção consciente, muito distante ainda de nosso nível normal de consciência. É isso que nos dá calafrios – a ausência de calor, o sangue frio. Toda nova dimensão de percepção consciente expulsa-nos do "paraíso" anterior da inconsciência.

Quando o sistema límbico assume o comando da situação e as emoções passam a fazer parte do momento, encontramo-nos no mesmo plano dos répteis (exceto por seus primos modernos – os pássaros – que, embora descendentes dos dinossauros, possuem emoções elementares). A consciência mamífera nos é bastante familiar; aliás, na qualidade de animais sociais, vivemos muito mais de nossa vida "consciente" sob o controle da consciência mamífera do que no âmbito da consciência primata, determinada pelo neocórtex. Enquanto espécie, tivemos um tempo tão mais longo para nos adaptar ao controle do sistema límbico que nos sentimos muito à vontade quando ele entra em cena e domina. Sem o sistema límbico, não teríamos famílias,

---

[8] Carl Jung, *The Collected Works*, vol. 7: *Two Essays on Analytical Psychology*, copyright © 1953, © 1966 (Princeton: Princeton University Press), 243n.

Figura 2. A deusa egípcia Ísis costuma servir de símbolo para iniciação nos mistérios ocultos, porque Ísis forçou Rá a revelar seu nome secreto, provocando assim o fim da era de Rá e o início da era de Osíris. (*Ísis*, ilustração extraída de *Oedipus Aegyptiacus*, de Athanasius Kircher, 1652.)

tribos ou grupos sociais de qualquer espécie. O sexo nunca teria se desenvolvido como amor; a curiosidade jamais teria alcançado o nível do respeito religioso.

Com o aparecimento do neocórtex, o cérebro primata começa a acelerar o desenvolvimento da consciência. Depois, quando apareceram os humanos, a evolução biológica cedeu lugar à evolução cultural. Se fosse essa nossa tarefa, poderíamos acompanhar a cada vez melhor compreendida história de nosso desenvolvimento – dos hominídeos que perambulavam pelas savanas no norte da África, passando pelas tribos de caçadores-coletores, pela humanidade agrícola, até chegarmos à humanidade moderna. Mas esse percurso não condiz com nossa discussão do conceito junguiano de níveis do inconsciente. O fato significativo é que até mesmo a ciência física demonstra que ainda contemos uma história de nossa herança evolutiva em torno de nosso corpo como um todo e igualmente dentro de nossa estrutura neurológica. O conceito junguiano de inconsciente coletivo é um reconhecimento de que a história ancestral ainda exerce poderosos efeitos em nosss vida.

Não temos a menor dificuldade em aceitar que uma aranha já sabe como tecer sua teia desde que nasce, ou que muitas variedades de peixes e aves e tartarugas não precisam ser ensinadas para saber como localizar pontos distantes onde acasalar-se. Temos mais dificuldades em aceitar que nós, humanos, também contemos uma rica herança instintiva em nós. No entanto, seria de fato estranho se nosso cérebro mamífero não nos dissesse grande parte daquilo que precisamos aprender acerca do amor e do sexo, se nosso cérebro réptil não nos impelisse a demarcar o nosso próprio território na vida.

CONSCIENTE E INCONSCIENTE

O conceito de Jung para os níveis do inconsciente parece menos radical do que nossa discussão acima. Talvez ele pudesse ter escolhido um termo melhor que inconsciente. Como vimos, estamos na realidade falando de um nível de consciência cada vez mais atenuado conforme vamos retrocedendo no tempo. Não há de fato uma demarcação indiscutível entre os estágios da consciência. Mas Jung estava escrevendo numa época histórica caracterizada por uma nítida arrogância filogenética, em que estávamos enamorados dos sucessos alcançados com o intelecto consciente, e Jung quis acentuar o fato de haver outros fatores em atuação em nossa vida.

Em seu trabalho como psicólogos clínicos, Freud e Jung foram forçados a lidar com as forças que se encontravam abaixo do nível da consciência. Seus pacientes manifestavam sintomas que refletiam um conflito entre os valores conscientes (os quais representavam os valores da família e da cultura) e os desejos instintivos (dos quais não estavam conscientes). Freud dedicou-se exclusivamente ao instinto sexual enquanto Jung percebia que cada pessoa era continente para uma infinidade de comportamentos e imagens ancestrais. Por causa disso, Jung escolheu apartar a consciência do inconsciente num ponto muito avançado do desenvolvimento – naquele ponto em que nos tornamos conscientes de nossos processos interiores.

Nos termos de Jung, fica difícil imaginar qualquer animal não humano (à possível exceção dos chimpanzés, grandes símios e golfinhos) como ser consciente. Na realidade, nesse senso restrito do termo, a consciência mesma só se desenvolveu muito recentemente e ainda controla uma parcela muito reduzida de nossa vida.

MARSHALL MCLUHAN E A CONSCIÊNCIA DE MASSA

> Se, por exemplo, eu determinar o peso de cada pedrinha numa camada de pedras e obtiver um peso médio de 150 gramas aproximadamente, isso me informa muito pouco a respeito da verdadeira natureza delas. Qualquer pessoa que pensasse, com base nesse dado, que poderia recolher uma pedra de 150 gramas na primeira tentativa estaria propensa a sofrer uma séria decepção. Na realidade, poderá muito bem acontecer que, por mais que procure, não consiga encontrar uma única pedra pesando exatamente 150 gramas.[9]

---

[9] Carl Jung, *The Collected Works*, vol. 10: *Civilization in Transition*, copyright © 1964, 1970 (Princeton: Princeton University Press), p. 493.

Jung era um cientista que acreditava em evidências objetivas. Contudo, essa sua convicção de tentar fazer da psicologia uma ciência estatística era um grande equívoco. As teorias estatísticas descrevem a pessoa média, o homem ou a mulher de massa, não o indivíduo. Essa espécie de conhecimento estatístico pode ser útil na física, mas deve ter pouco ou nenhum lugar na psicologia. Para Jung, uma ampliação da consciência é sempre um esforço heroico efetuado por um indivíduo que se empenha contra o jugo de todos os outros que presumem que já sabem. Todo avanço em termos da consciência de massa ocorre mediante os esforços de muitas pessoas assim.

Mas, em si mesma, a consciência é às vezes insuficiente para avançar, independentemente do quanto possam ser extremados os esforços. Consideremos de que modo cada um de nós enfrenta seus problemas na vida. Primeiro, empregamos todos os nossos recursos conscientes tradicionais para cogitar sobre o problema, confiantes de que o solucionarão, assim como aconteceu com tantos outros, no passado. Contudo, quando nenhum dos métodos de praxe funciona e o problema é suficientemente importante para não podermos apenas deixá-lo de lado com um encolher indiferente de ombros, então ocorre algo de novo: nossa energia emocional é mobilizada para o inconsciente. Lá o problema entra em fase de gestação até que, no devido tempo, emerja uma nova abordagem.

A consciência desenvolve-se em surtos, tanto na pessoa como na espécie. Nesta, enquanto nosso nível vigente de compreensão parece adequado aos problemas imediatos, poucas mudanças acontecem. Mas quando irrompem novas circunstâncias, a consciência dá um salto. A teoria darwiniana tradicional da evolução natural parece estar cedendo lugar à teoria dos saltos evolutivos, em momentos críticos do tempo.

Talvez a imagem mais original desse marco divisório em termos do desenvolvimento da autoconsciência venha não de um psicólogo, mas de um professor de literatura e "moscardo intelectual" multiperformático – o falecido Marshall McLuhan. Depois da publicação em 1962 de *The Gutenberg Galaxy*, e ainda mais depois de *Understanding Media*,[10] Marshall McLuhan explodiu na cena mundial como nenhum outro acadêmico desde então. McLuhan tornou-se uma estrela da mídia e sofreu o destino dos astros: foi desacreditado pelos sérios. Afinal de contas, como poderia ter importância se tantas pessoas o estavam ouvindo? Mas, apesar do circo que cercou McLuhan, algumas ideias por ele apresentadas continham uma espantosa originalidade e nos dizem respeito, neste contexto.

Em poucas palavras, o argumento de McLuhan é que a invenção de Gutenberg no século XV, criando os tipos móveis, modificou a própria consciência. Antes da disponibilidade em massa dos livros, o que regia o mundo eram os sons. Depois dessa

---

[10] Marshall McLuhan, *The Gutenberg Galaxy* (Toronto: University of Toronto Press, 1962); e *Understanding Media* (Nova York: Signet Books, 1964). [*Os Meios de Comunicação como Extensões do Homem*. São Paulo: Editora Cultrix, 1969.]

invenção, a visão apoderou-se do cetro do poder. McLuhan foi o primeiro a se dar conta da profunda diferença que existe entre esses dois mundos. O mundo sonoro não é delimitado – existe por toda parte à nossa volta. Os sons vêm daqui, de lá, de qualquer parte. Todo som tem uma importância em si. McLuhan sustentava que as primeiras palavras foram ecos da natureza, palavras que imitavam a natureza. Toda palavra tinha vida própria, era mágica.

Num mundo desses, é extremamente difícil desenvolver uma noção intensa de "eu" em oposição a um "outro" específico, no mesmo mundo. As pessoas auditivas têm mais propensão a viver num universo marcado por uma "participation mystique" no seu ambiente. "Participação mística" é um termo criado pelo antropólogo Lucien Lévy-Bruhl, e foi muito usado por Jung. Descreve um estado de consciência que os dois estudiosos consideravam característico dos "seres humanos primitivos (?)", e no qual vivenciamos os pensamentos e os sentimentos como acontecimentos fora de nós, da mesma maneira como os sons do mundo físico estão do lado de fora. Embora o mundo esteja vivo e repleto de significados, não há uma verdadeira consciência dele porque tudo se funde com tudo o mais.

> Quanto mais limitado for o campo de consciência da pessoa, mais numerosos serão os conteúdos psíquicos (imagos) que lhe parecem ser aparições quase externas, seja na forma de espíritos, ou como potências mágicas projetadas

em pessoas vivas (magos, bruxas etc.)[...] (quando isso acontece, até mesmo as árvores e pedras falam)[...][11]

Com o advento da literatura de massa, a visão passa a ser a função predominante e a leitura, a habilidade mais poderosa de todas. Os livros são feitos de palavras; e estas, de letras. A mente tem de processar letras para compor palavras, depois organizar palavras para criar sentenças e estas, numa certa ordem, para criar ideias. Assim como as letras podem ser dispostas de variadas maneiras para criar as palavras, podemos considerar as palavras como unidades intercambiáveis que compõem a comunicação. As palavras tornaram-se desmistificadas. Depois de certo tempo, a mente começa a pensar dessa maneira linear. Ela estrutura a realidade em porções sequenciais de informação, como as letras numa palavra, como as palavras numa página. Começamos a pensar a realidade em termos de sequências de causa e efeito, em que cada efeito é a causa de outro efeito ainda. O mundo deixa de ser vivo, torna-se uma máquina.

Não obstante, por mais paradoxal que seja, essa desumanização está associada à consciência. Tornamo-nos cientes de nossa própria identidade como seres separados de todas as "coisas" fora de nós. Enquanto os homens e as mulheres auditivos permanecem presos numa participação mística com seu ambiente total, são coextensivos aos relâmpagos e trovões, aos bisões que

---

[11] Carl Jung, *The Collected Works*, vol. 7, p. 295.

matam, aos carneiros que pastoreiam. Assim que o universo se torna composto de "coisas" separadas, pode se formar um "eu" que não é nenhuma dessas coisas.

O mundo à nossa volta (e dentro de nós, então) é contínuo. Não existem demarcações na realidade, exceto as criadas pela consciência. Uma montanha é apenas montanha porque decidimos isolá-la daquilo que a rodeia. Um animal é só uma entidade distinta porque o definimos assim. Se nossa visão fosse bem mais precisa, poderíamos igualmente definir cada célula da pele como uma entidade separada. Ou se "víssemos" a realidade com um sistema para detecção do calor, poderíamos definir as partes de um animal como todos, ou talvez um bando de animais como um todo. A consciência é uma referência móvel, definida em grande parte por nossa existência de seres sensoriais, com limitações de sensorialidade bastante definidas.

A consciência fragmenta a totalidade do mundo em pequenos pedaços de um tamanho capaz de ser assimilado por nosso cérebro relativamente primitivo. Mas, seja o que for que aconteça na consciência, esse conteúdo tem que começar como uma imagem incipiente no inconsciente que só aos poucos emerge no campo da consciência. Imagine que a consciência (no mais amplo sentido desse termo) é a luz de um projetor de filmes. O que aparece na tela como um filme passando é, na realidade, a projeção de uma série de quadros individuais. O movimento que pensamos ver num filme é realmente apenas o resultado de nossas limitações sensoriais, ou seja, se o intervalo de tempo entre os quadros for breve o suficiente, nosso cérebro pensa que as duas cenas são contínuas e interpreta como movimento toda diferença entre as duas cenas. A consciência é um foco de luz (isso é um mistério, não é?) que projeta cenas da realidade, sendo cada uma delas estática em si. Esses instantâneos passam pela mente com tanta rapidez que criam a ilusão de movimento e continuidade.

Bem, é claro que a consciência de si não teve seu verdadeiro início no século XV. Sempre tivemos certa medida de autoconsciência. Mas McLuhan identificou um marco divisório na história humana, um ponto em que teve início a *consciência de massa*, e para ele esse limite tem relação com o sentido da visão. Como já vimos, o mais recente dos três cérebros de Paul MacLean, o neocórtex, poderia com bastante propriedade ser chamado de cérebro visual, tal é o volume de suas conexões neuronais com a visão. E esse cérebro mais recente tem uma história registrada de nada menos de 3 milhões de anos!

À medida que a humanidade passou a depender cada vez mais da visão, era inevitável que começasse a emergir (no senso junguiano do termo) certo grau de consciência. E isso, sem sombra de dúvida, representou um salto quântico para os que eram alfabetizados. Contudo, antes dos tipos móveis, a consciência estava limitada a uns poucos afortunados e a maioria dos homens e mulheres vivia de maneira inconsciente, como qualquer outro animal. No momento em que o tipo móvel começou a existir, a consciência estava decerto pronta para dar outro salto, e a tipografia móvel serviu de conveniente instrumento evolutivo.

A TOTALIDADE DA MEMÓRIA

O que para Freud era o *inconsciente*, Jung chamou de *inconsciente pessoal* (para distingui-lo do *inconsciente coletivo*). O inconsciente pessoal é, em si, bastante significativo. Parece ter à sua disposição todas as experiências de nossa vida, quer tenham elas passado ou não para o plano da consciência. Por exemplo, neste momento, estou digitando palavras num processador de textos. Estou consciente de cada palavra que está no monitor à minha frente. Em geral, quando estou escrevendo, isso é basicamente aquilo de que tenho consciência. Não ouço o som que o ventilador do computador emite (que é bastante audível). Não registro o ronronar mais baixo do aparelho de ar-condicionado, como som de fundo. Não estou consciente de minhas sensações corporais na posição sentada em que me encontro (até ter ficado tanto tempo sentado que percebo que estou com o corpo todo dolorido). Não vejo os livros à direita e à esquerda do monitor, nem as estantes forradas de volumes mais atrás. Em resumo, não estou consciente da maior parte das sensações que me bombardeiam sem cessar.

Não obstante, todas as outras sensações – visões, sons, odores, mudanças de temperatura em minha pele – são registradas pelo meu corpo. E, ao que parece, praticamente todas elas são armazenadas. O psicólogo e hipnoterapeuta Ernest Lawrence Rossi resumiu uma larga variedade de pesquisas que defendem de modo persuasivo a noção de que nossa memória é "dependente do estado".[12] Ou seja, não nos lembramos de pequenos pedaços isolados de informação; lembramo-nos do contexto inteiro em que certo evento aconteceu. Em virtude disso, é muito difícil lembrar de alguma coisa num ambiente físico inteiramente diferente. Contudo, se voltarmos a um estado corporal e mental similar àquele em que nos encontrávamos quando o acontecimento se deu pela primeira vez, é comum que revivamos esse evento como se estivesse ocorrendo originalmente.

> Roland Fischer, professor de psicologia experimental da Faculdade de Medicina, da Ohio State University, citou como exemplo o milionário, no filme *Luzes da Cidade*, de Charlie Chaplin. Bêbado, o milionário adorava o pequeno vagabundo que havia salvo a sua vida; sóbrio, não conseguia lembrar-se dele.[13]

Como conseguimos registrar todas essas informações é outra questão. Nos anos 1940, o neurofisiologista Karl Lashley buscou

---

[12] Os leitores poderão encontrar no livro de Ernest Lawrence Rossi, *The Psychology of Mind-Body Healing* (Nova York: W. W. Norton, 1986), pp. 36-56, um resumo de grande parte das pesquisas na área.

[13] Marilyn Ferguson, *The Brain Revolution* (Nova York: Taplinger Publishing Company, 1973), p. 72.

em vão os "engramas" – sítios mnemônicos localizados. Ele treinava ratos que aprendiam algo novo; depois destruía parte do seu cérebro, justificando-se pela teoria de que, ao destruir a parte em que a memória estava armazenada, o rato não conseguiria mais efetuar o comportamento. Em vez disso, fosse qual fosse a parte do cérebro destruída, o rato ainda conseguia reproduzir a conduta. Aliás, ele chegou a destruir 80% do cérebro do animal sem impedi-lo de realizar os movimentos em questão.[14]

Seu jovem colega, Karl Pribram, aventou uma possível resposta alguns anos mais tarde: ele disse que grande parte da memória está registrada por todo o cérebro, num feitio análogo ao modo como o holograma retém uma imagem tridimensional por toda a superfície de um pedaço de filme.[15] Pribram defende a ideia de nossas memórias de eventos serem difundidas dessa maneira holográfica por todo o nosso cérebro, quando então o cérebro registraria o evento total, ou seja, todo o complexo de sensações que vivenciamos num dado momento.[16]

---

[14] David Loye, *The Sphinx and the Rainbow* (Nova York: Bantam, 1983), p. 186.

[15] Holograma é uma forma muito especial de fotografia que registra uma imagem tridimensional. Tem o atributo peculiar segundo o qual qualquer parte do holograma registra a imagem inteira. Se um raio *laser* atravessar qualquer setor do holograma, será produzida uma imagem no espaço que representa a figura sólida original.

[16] Karl Pribram, "The Brain", in *Millennium: Glimpses into the 21st Century,* orgs. Alberto Villoldo e Ken Dychtwald (Los Angeles: J. P. Tarcher, 1981), pp. 95-103. A principal objeção à teoria holográfica do cérebro proposta por Pribram tem sido a ausência de uma explicação detalhada de como isso poderia ocorrer. Em

Não pretendo refutar os especialistas em cérebro. Existem localizações definidas no córtex cerebral que se especializam em ver, outras em ouvir e assim por diante. Mas se as partes responsáveis por ver forem destruídas, a memória de como vemos ainda permanecerá; outras partes do cérebro assumem as tarefas até então executadas pelo setor especializado. Pode ser que no princípio não se saiam tão bem, mas com o tempo melhorem, assim como se dá com o desenvolvimento de um especialista. Isso lembra o que acontece quando se corta a cauda de um camaleão; ela se regenerará por inteiro.

Somos capazes de fazer isso porque não estamos registrando cenas e sons individuais, mas, em vez disso, captamos a totalidade do momento. Ao que parece, o *cérebro inteiro registra tudo o tempo todo*. Se algumas partes do cérebro são melhores para lidar com os estímulos visuais, então é muito mais eficiente, no futuro, que essas partes lidem com as lembranças visuais. Mas isso não significa que essas partes visuais do cérebro não estejam tendo a vivência total de um acontecimento, visual e não visual, à sua disposição. Tampouco quer dizer que as outras partes do cérebro não estejam igualmente registrando o evento, inclusive em seus

---

The Invention of Memory (Nova York: Basic Books, 1988), Israel Rosenfield apresenta a teoria do imunologista vencedor do Prêmio Nobel, Gerald Edelman, cognominada "darwinismo neural", que propõe uma explicação física inteiramente diferente para o fato de a memória não ser localizada. Mas para nosso propósito neste livro, o aspecto essencial das duas teorias é que elas apresentam a memória como mais complexa do que um mero armazém de compartimentos contendo cada qual uma lembrança diferente.

elementos visuais. E, sem dúvida, chamar uma coisa de um evento é apenas uma divisão do tempo.

Ainda não compreendemos de modo cabal esse processo, embora a neurofisiologia seja um campo de rápido progresso. É possível que meus comentários estejam exagerando a situação até certo ponto, mas estão decerto mais próximos da realidade do que quaisquer descrições da memória que tenhamos aprendido na escola.

> Vários psicólogos tentaram medir a diferença entre a recordação intencional e o reconhecimento. Num dado experimento, vários sujeitos foram expostos a uma lista de cem palavras, por cinco vezes. Quando lhes foi solicitado que se recordassem dela, tiveram acerto da ordem de 30%. Quando, por outro lado, os sujeitos foram solicitados a reconhecer as cem palavras misturadas a cem outras com as quais as primeiras não tinham relação, acertaram 96% das vezes. Isso ainda deixa em aberto a possibilidade de, em condições experimentais mais adequadas, os sujeitos poderem reconhecer ainda mais, talvez 100%.
>
> [...] Também foi constatado que a memória visual é consideravelmente superior à memória verbal. Em testes com 10 mil quadros, os sujeitos reconheceram corretamente 99,6%. Como comentou um dos pesquisadores: "O reconhecimento de quadros é *essencialmente perfeito*".[17]

[17] Peter Russell, *The Brain Book* (Nova York: Hawthorn Books, 1979), pp. 163-164.

Conforme veremos várias vezes nas páginas seguintes, a mente parece não poder ser limitada ao cérebro. É altamente improvável que o inconsciente coletivo esteja de alguma forma armazenado em cada cérebro individual. É muito mais viável pensar que o cérebro é, em grande medida, um dispositivo de comunicação mais do que de estocagem.

O CÉREBRO CONSIDERADO COMO APARELHO DE TV

Por esse prisma, o biólogo Rupert Sheldrake oferece uma excelente analogia entre as recordações no cérebro e os programas num aparelho de televisão. Imagine que você está assistindo a um programa pela primeira vez, sem a menor ideia do que é uma televisão. No nível mais primitivo, você poderia pensar que de fato existiriam as pessoas dentro do aparelho. Ao examiná-la, rapidamente descartaria essa explicação excessivamente simples. Notaria que há uma grande quantidade de equipamentos dentro do aparelho. Como criaturas que cresceram em meio aos assombros criados pela ciência, também você provavelmente decidiria que o equipamento dentro do aparelho é que cria a imagem e o som. Ao girar o dial e conseguir ver e ouvir coisas diferentes, provavelmente ficaria convencido de sua hipótese. Se tirasse o tubo de imagem de dentro do aparelho e com isso sumissem as imagens, você muito provavelmente acharia que tinha enfim demonstrado e comprovado o acerto de sua argumentação.[18]

Suponha que alguém lhe dissesse o que realmente acontece – que os sons e as imagens procedem de um local distante e são emitidos e transmitidos por ondas invisíveis que, de alguma maneira, podem ser criadas nesse local distante e recebidas em seu aparelho de tevê, transformando-se então em imagens e sons. Primeiro, o mais provável é que você considerasse ridícula essa explicação. No mínimo, não parece compatível com a radical distinção de Occam, ou seja, é muito mais simples conceber que as imagens e os sons são criados pelo aparelho de TV do que imaginar ondas invisíveis.

No entanto, você talvez se inclinasse a ver as coisas por outro ângulo se lhe fossem ditas várias outras coisas a respeito de aparelhos de televisão. Primeiro, você poderia ficar sabendo que milhões de outras pessoas têm os mesmos aparelhos que você e que cada um deles é capaz de fazer tudo o que o seu faz. Você pensaria que isso é fantástico, mas não seria o suficiente para abalar suas convicções. Afinal de contas, cada um daqueles aparelhos é sem dúvida fabricado com o propósito de produzir essas imagens e sons maravilhosos. No entanto, como explicar que cada um desses milhares de aparelhos consegue ter os mesmos programas, nos mesmos horários?

---

[18] Rupert Sheldrake, "Mind, Memory and Archetype", *Psychological Perspectives* (primavera de 1987), pp. 19-20.

O chamariz para essa questão poderia ser um canal estar num programa de notícias em que o repórter estivesse narrando um evento que se desenrola enquanto ele fala. Se você nesse momento descobrisse que cada um dos outros milhões de aparelhos é capaz de ver e ouvir a mesma notícia no mesmo instante, é provável que passasse a receber melhor a ideia de que seu televisor não é uma unidade de estocagem, mas sim um receptor de informações transmitidas por ondas invisíveis.

Bem, o inconsciente coletivo contém informações que podem ser acessadas por qualquer pessoa, a qualquer momento. Parece não conhecer limites de tempo ou espaço. Quer dizer, pode acessar informações que foram registradas pelos povos primitivos, ou que se referem a acontecimentos pessoais que ainda não transcorreram em sua vida. Tenho receio de que um inconsciente coletivo não caberia muito bem dentro de um cérebro individual.

A DINÂMICA DA CONSCIÊNCIA

Retornemos ao inconsciente pessoal. Consideremos a leitura. Em algum momento de sua vida, você precisou aprender o alfabeto. Sentou-se numa sala de aula, enquanto a professora apontava para as letras individuais, enunciando-as depois em voz alta. Você e seus coleguinhas repetiram as letras inúmeras vezes, naquelas sessões monótonas da repetição que só os muito jovens conseguem aguentar. Depois copiou com cuidado cada letra em seu caderno. E fez essas cópias vezes sem conta até saber exatamente qual é a aparência de um "A", de um "B", de um "C", e assim por diante. Depois, você aprendeu como essas letras se combinavam para compor palavras e, aos poucos, foi emitindo o som de cada letra de uma palavra desconhecida até conseguir pronunciar a palavra inteira. Se você já conhecia a palavra, a tarefa estava encerrada. Caso contrário, era preciso então descobrir o que ela queria dizer.

À medida que foi ficando mais experiente em leitura, você chegou a conseguir reconhecer instantaneamente palavras inteiras num só exame de vista, e por isso não precisou mais ir letra por letra, até soletrá-la por completo. Para a maioria das pessoas, essa rapidez de reconhecimento torna a leitura um prazer e não uma chateação. Tornamo-nos leitores. Para algumas pessoas essa rápida capacidade de reconhecimento nunca chega, mas, de qualquer modo, para todos nós custou muito tempo e esforço aprender a ler.

Assim que essa habilidade foi adquirida, você provavelmente passou muito tempo usando-a. Nunca li estatísticas a respeito, mas imagino que pessoas altamente informadas chegam a passar metade de suas horas de vigília lendo alguma coisa. Mas quanto dessa leitura é feita de modo consciente? Arrisco-me a dizer que muito pouco. Para quem lê depressa, as palavras deslizam *sem qualquer registro consciente de que tenham passado*. As palavras fluem direto do livro para o inconsciente, sem a menor intervenção consciente!

Escolhi de propósito um exemplo aberto a controvérsias para deixar claro o que tenho em mente. Você pode dizer que está consciente quando está lendo, mas quase o tempo todo da leitura estará num nível baixo de consciência. Dificilmente eu poderia discordar de você. Mas e quanto a dirigir um carro? Da mesma forma que aprender a ler, levou muito tempo e esforço aprender a guiar. Para a maioria dos ocidentais, é uma habilidade essencial. Devemos dirigir. Se cometemos erros enquanto dirigimos, podemos nos matar e a outras pessoas. Apesar disso, quanta atenção consciente estamos prestando ao nosso ato de dirigir, na maior parte do tempo?

Quando estou indo por um caminho que conheço bem, volto minha atenção consciente para uma infinidade de outras coisas, confiante de que alguma outra parte de minha mente vai desincumbir-se da direção do carro. Alguma vez você já passou da saída que era a sua na autopista, ou entrou pelo caminho de sempre no dia em que precisava fazer um percurso diferente? Se você não estava consciente, quem, ou o quê, estava dirigindo?

Assim, estamos ou não conscientes quando estamos lendo ou dirigindo? Não há dúvida de que a relação entre consciência e inconsciente forma uma dinâmica complexa que não se presta facilmente a uma resposta.

ARQUÉTIPO E COMPLEXO

Foi esse relacionamento dinâmico entre o consciente e o inconsciente que Jung observou e descreveu. Enquanto trabalhava como médico recém-formado na Clínica Psiquiátrica do Hospital Burghölzli, na Suíça, Jung conduziu alguns experimentos com o teste de associação de palavras, nos quais anotava a resposta do paciente a uma palavra-estímulo; ele também media o intervalo de tempo da resposta. Ao analisar os resultados, descobriu que as respostas com os tempos de reação mais longos tendiam a se agrupar em torno de tempos que para o sujeito tinham um significado emocional. Por exemplo, se o paciente tinha dificuldade com o pai, as respostas que demoravam mais para ser dadas eram as que tinham alguma associação com o pai na vivência daquele paciente. Isso não quer dizer que as palavras-estímulo tinham que estar diretamente relacionadas com o conceito de pai; elas apenas precisavam ter alguma ligação com o pai, na mente da pessoa. Em nosso exemplo, a maioria das pessoas associaria a palavra leite com mãe em vez de com pai. Contudo, se um dia o paciente tivesse derramado leite e sido recriminado pelo pai, leite poderia ser uma dessas palavras-estímulo.

Jung chamou de "complexos" esses agrupamentos de conceitos com carga emocional. Como já mencionei antes, esse conceito de complexo interessou Freud e foi uma de suas primeiras razões para interessar-se também por Jung. Freud conjecturou que todos os complexos centravam-se em acontecimentos sexualmente significativos do início da vida. Argumentava que o processo da psicanálise deveria ser capaz de trazer à mente as associações pessoais, uma por vez. Com o tempo, a cadeia de associações levaria de volta a um acontecimento da infância, poderosamente carregado de emoções. Assim que o paciente desvendasse o evento primal que estava na raiz do complexo, nada mais restaria neste e o paciente então estaria curado. Essa é uma teoria lógica bem encadeada que, infelizmente, não corresponde aos fatos.

Quando Jung investigou os complexos de seus pacientes, descobriu uma situação muito diferente. O paciente não ficava automaticamente bem quando todas as associações pessoais tinham sido expostas à luz. Tampouco havia sempre (e nem sequer com frequência) um evento primal no cerne do complexo. Em vez disso, Jung descobriu que depois de tudo que era pessoal ter-se tornado consciente, ainda permanecia um cerne de incrível poder emocional. Em lugar de difundir e esvaziar a energia, esta aumentava. O que poderia constituir esse cerne? Por que tinha tanta energia?

Parecia que um núcleo impessoal deveria existir no seio do complexo. Na discussão do conceito de cérebro triuno proposto por Paul MacLean, vimos que nosso cérebro contém entranhada em sua própria estrutura a história da evolução e que a antiga estrutura ainda controla grande parte da vida que nós pensamos viver com tanta consciência. (Veja Figura 3 à p. 65.) Para tanto, essas estruturas devem ser altamente organizadas a fim de serem acessadas quando necessário. Se o nosso passado evolutivo está contido em nós (ou, pelo menos, nos está disponível para acesso como se estivesse armazenado em nosso interior), só existem duas maneiras de poder aparecer em nossa vida: 1) *por meio de atos comportamentais no mundo externo* – quer dizer, aquilo que normalmente chamamos de instinto; e 2) *por meio de imagens de nosso mundo interior* – que no início Jung denominou *imagens primordiais* e, depois, *arquétipos* (do grego, *impressão primordial*).

> [...] há bons motivos para supor que os arquétipos são as imagens inconscientes dos próprios instintos; em outras palavras, que são padrões de comportamentos instintivos [...] A hipótese do inconsciente coletivo não é, portanto, mais ousada que assumir a existência de instintos [...]
>
> A questão é apenas esta: existem ou não formas universais desse tipo? Se existem, então existe uma região da psique que se pode chamar de inconsciente coletivo.[19]

Como se pode ver a partir do comentário de Jung, ele enfim passou a usar o termo *arquétipo* para se referir a um padrão que está na raiz tanto de condutas instintivas como de imagens primordiais. Por exemplo, no cerne de um complexo paterno está o arquétipo do pai. Para um paciente em particular, o arquétipo do pai constela à sua volta imagens e comportamentos do pai, que estão disponíveis por meio da convivência com esse pai. Conforme se cava mais fundo nas camadas do complexo, as imagens e os comportamentos vão se tornando cada vez menos pessoais e

---

[19] Carl Jung, *The Collected Works*, vol. 9, I, *The Archetypes and the Collective Unconscious*, copyright © 1959, 1969 (Princeton: Princeton University Press), pp. 91-92.

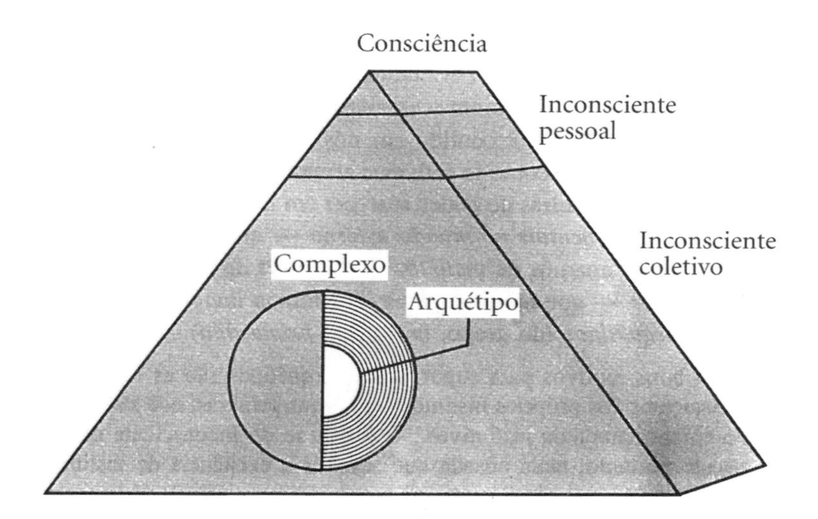

Figura 3. A estrutura da psique. A consciência, uma parte diminuta da psique, é uma conquista recente. Por baixo dela está o inconsciente pessoal e mais embaixo ainda está a vasta extensão do inconsciente coletivo. Todas as experiências sensoriais são filtradas primeiro por meio dos elementos estruturais do inconsciente coletivo – os arquétipos – que reúnem as experiências de vida à sua volta para constituir os complexos. Descascar as experiências pessoais que compõem as camadas do complexo para encontrar o arquétipo em seu seio é como descascar as camadas de uma cebola.

cada vez mais alicerçados na experiência que o paciente tem da sua herança cultural, tenha ele ou não qualquer conhecimento pessoal da imagem ou do comportamento.

Infelizmente, o mundo maravilhoso dos arquétipos parece por demais filosófico e literário para os cientistas modernos; evoca imagens ideais de Platão e outros temas igualmente tabus. Claro que Jung escolheu o termo *arquétipo* exatamente por esse motivo, pois se deu conta de que muito antes da ciência nossos maiores pensadores foram capazes de enxergar mais além da camada de revestimento da realidade física. Eu gostaria de propor outro substituto ainda para o termo arquétipo – *invariante cognitivo* –, um termo até certo ponto desajeitado, mas que poderia ser mais bem recebido pela ciência moderna e mais inteligível. Cognição é o processo mental de conhecer ou perceber; invariante significa constante. Por conseguinte, os elementos constantes que em parte determinam nosso conhecimento da realidade.

Existe hoje em dia uma abundante produção de pesquisas, em vários setores diferentes da ciência, que se agrupam sob a denominação geral de *ciência cognitiva*. Howard Gardner, em seu livro *The Mind's New Science*, descreve a ciência cognitiva como "[...] um esforço contemporâneo de bases empíricas para responder a questões epistemológicas propostas há longo tempo, em particular as que se referem à natureza do conhecimento, seus componentes, fontes, desenvolvimento e distribuição".[20]

Os arquétipos ou invariantes cognitivos são pertinentes a esses estudos, pois, se existem, são sem sombra de dúvida "componentes" do conhecimento, "fontes" do conhecimento e estão bastante envolvidos no "desenvolvimento" e na "distribuição" de nosso conhecimento da realidade. Por tais motivos, ao longo deste livro, vez ou outra usarei a expressão invariante cognitivo como sinônimo de arquétipo, em sentido geral.

---

[20] Howard Gardner, *The Mind's New Science* (Nova York: Basic Books, 1985), p. 6.

Estarei normalmente usando "arquétipo" quando me referir a um deles em particular.

Meu exemplo predileto de um arquétipo (neste caso, o arquétipo da mãe) diz respeito ao falecido e extraordinário etologista Konrad Lorenz e a um filhote de ganso que pensava que Lorenz era sua mãe.[21] Lorenz foi homenageado com o Prêmio Nobel, em grande parte pela sua descoberta do modo como o comportamento instintivo é acionado nos animais. Ele descobriu que os bichos (inclusive os homens e as mulheres) nascem com uma predisposição interna para certos comportamentos altamente específicos. Um comportamento instintivo em particular pode permanecer em estado latente no animal durante anos, até chegar o momento de ser necessário. Quando é chegado esse momento, a conduta inata, coletiva, é desencadeada por estímulos externos específicos. Lorenz chamou esse processo de *imprinting*. (Lembre-se de que o arquétipo deriva sua denominação do grego "impressão primordial".)

Bem, a verdade é que Lorenz estava ressuscitando a cientificamente ultrapassada teoria dos instintos, mas com o acréscimo de mais um elemento ao quebra-cabeça: mediante a cuidadosa observação de como o *imprinting* ocorria, ele estava em condições de apresentar os detalhes desses comportamentos instintivos em sua prática concreta. Por exemplo, enquanto estudava o

---

[21] Konrad Lorenz, *King Solomon's Ring* (Nova York: Signet/New American Library, 1972).

comportamento dos gansos, Lorenz estava casualmente presente no momento em que um filhote de ganso quebrou a casca do ovo. O bebê imprimiu o arquétipo da mãe em Lorenz, ou seja, o filhote de ganso decidiu que Lorenz era a mãe dele. O livro *King Solomon's Ring* contém uma imagem maravilhosa de Lorenz caminhando sozinho, mergulhado em seus pensamentos, enquanto o filhote de ganso caminha desajeitado atrás, como todos os filhotes de ganso sempre fizeram, andando atrás de suas mães.

Bom, Lorenz não se parece em absoluto com uma gansa. Tampouco fala como esses animais, nem age como os gansos etc. Portanto, o arquétipo da mãe certamente não pode estar armazenado no ganso como imagem de qual é a aparência certa da mãe ganso. O arquétipo tem que ser flexível o bastante para adaptar-se a uma vivência pessoal da mãe que seja tão diferente da mãe ganso normal quanto um Lorenz pode ser. É isso que Jung queria dizer quando insistia que os arquétipos não tinham forma.

Jung foi ao encontro dos arquétipos, caminhando de fora para dentro, mediante seu estudo dos complexos. No entanto, como vimos com o filhote de ganso, não resta dúvida que é o arquétipo que vem antes. Imagine um bebê humano, em lugar do filhote de ganso. Ele deve conter um arquétipo de mãe que imprime sobre a figura de sua mãe. Esse arquétipo aparentemente contém toda a história da humanidade a respeito das interações entre mãe e filho e, provavelmente, toda a história da vida animal também. Um relacionamento que tem tido tanta importância, há já tanto tempo, concentra energia, e essa energia molda a relação do recém-nascido com sua mãe física.

Todo bebê é único e toda mãe é única. Por isso, todo bebê precisa transplantar sua relação individual com a mãe, inserindo-a no arquétipo coletivo da mãe. Por exemplo, ao nascer, o bebê já sabe como sugar. Como o sabe todo bebê alimentado por mamadeira, esse comportamento é certamente capaz de adaptar-se a um bico de borracha substituto do bico do seio materno. Todo bebê sabe como chorar e como sorrir. (Todos já ouvimos o argumento segundo o qual o termo *sorrir* é só uma reação ao gás. Contudo, pesquisas mais recentes parecem indicar que um bebê sorri como forma de atrair seus pais.) Se o bebê chora e descobre que a mãe aparece no mesmo instante para saber o que é, ele crescerá com uma adaptação diferente à vida da alcançada pelo bebê cuja mãe ignora seu choro e se atém a um programa lógico de horários para fazê-lo dormir e comer.

Ao longo dos anos que são necessários para a pessoa deixar de ser bebê e se tornar adulta, cada um de nós acumula um amplo número de recordações relativas à sua própria mãe. Estas se agrupam em volta do arquétipo de mãe para formar um complexo de associações maternas. O que fizemos foi, essencialmente, construir uma mãe interior que tem tanto características universais como traços específicos de nossa mãe particular.

Quando temos que lidar com situações parecidas às que vivemos com nossa mãe, recorremos ao complexo materno. Por exemplo, quando a menininha chega aos 3 anos e está começando a fazer uma coisa que ela sabe que não deve, pode dizer em voz alta "mas que sapeca!". Essa é a mãe internalizada em ação. Se ela vai e rala o joelho, corre até a mãe para que esta a conforte. Se a mãe não estiver disponível, ela provavelmente vai abraçar a si mesma como se estivesse sendo abraçada pela mãe.

Quando essa garotinha finalmente chegar à idade adulta, ela continuará recorrendo ao complexo materno nas situações apropriadas. Se sua relação com a mãe tiver sido saudável, será capaz de obter o conforto e a tranquilização necessários dessa mãe interior. Se a relação com a mãe não tiver sido saudável, o mais provável é que ela tenha dificuldade em confiar em alguém porque receberá toda situação de acolhimento pela perspectiva de suas vivências pessoais problemáticas.

Lembre-se de que o complexo materno tem em seu próprio cerne um arquétipo da mãe que nada tem que ver com uma mãe em particular. Nos últimos anos, os psicólogos começaram a estudar crianças com passados familiares terríveis e que, de alguma forma, tinham conseguido se tornar saudáveis e bem-sucedidas (muitas vezes chamadas de "supercrianças"). Essas crianças recorrem a outros adultos em busca de amor e apoio quando não os recebem de seus próprios pais. Às vezes conseguem arrumar um adulto ou professor especial que pode se tornar substituto da mãe ou do pai. Com mais frequência, *conseguem compor a mãe e o pai de que necessitam* com base nas características de diversos adultos.

Isso é realmente admirável e só se explica se essas crianças já tiverem algum padrão interior de mãe e pai que podem fazer corresponder a suas experiências na vida externa.

ARQUÉTIPOS DO DESENVOLVIMENTO

Não há como decidir quantos arquétipos existem. *Parece que existem arquétipos para todas as pessoas, lugares, objetos ou situações que tenham tido força emocional para um grande número de pessoas ao longo de um extenso período de tempo.*[22]

Se existe um número tão grande de arquétipos, eles devem ter níveis hierárquicos. Ou seja, o arquétipo da mãe deve estar contido no arquétipo do feminino. Mas o arquétipo do feminino também deve conter o da esposa, da irmã, da amante etc. Os arquétipos de mãe, esposa, irmã e amante sobrepõem-se no ponto em que cada qual faz parte do feminino. Mas o arquétipo da mãe também se sobrepõe ao do pai no ponto em que cada um é parte do arquétipo do genitor. Em outras palavras, necessariamente, os arquétipos não têm fronteiras nitidamente demarcadas; cada um deles se funde, no limite, com outros arquétipos.

---

[22] Os leitores interessados devem estar cientes de que isso é exatamente o que Rupert Sheldrake afirma ser necessário para que ocorra a "ressonância mórfica". Os interessados em sua abordagem biológica dessas questões devem ler seu controverso e insuperável trabalho *A New Science of Life: The Hypothesis of Formative Causation* (Los Angeles: J. P. Tarcher, 1981).

É exatamente essa a situação que encontramos em nossa experiência do mundo físico. Patos, galinhas e avestruzes são todos aves; as aves e os mamíferos são vertebrados etc. Um sistema de classificação é útil e necessário. Mas o mundo em si não se recolhe em categorias; nós, humanos, as impomos a fim de podermos enfrentar a complexidade do que nos cerca. Os arquétipos encontram-se igualmente além de toda categorização, mas apesar disso as categorias são também úteis para os humanos.

Jung poderia ter dedicado o resto de sua vida à coleção e categorização de arquétipos, como o faziam os botânicos, e seria, nesse sentido, um dos primeiros botânicos da mente. Mas ele chegou à sua descoberta dos arquétipos do inconsciente coletivo porque estava tentando curar pacientes. Portanto, estava mais interessado em descobrir quais arquétipos se encontravam na base do processo interior de cura e crescimento que ele chamou de individuação.

Sendo assim, de toda a multiplicidade dos arquétipos que se nos depara – seja na forma de sonhos, seja projetados no mundo – Jung destacou três como focos de atenção especial, uma vez que ele sentia serem eles os representantes sequenciais dos estágios do processo da individuação:

1) *Sombra* – arquétipo que personifica todos os traços *pessoais* que foram ignorados ou negados, em geral representados por uma figura do mesmo sexo que o sonhador.

2) *Anima/Animus* – arquétipo que serve para nos conectar ao inconsciente coletivo *impessoal*, em geral representado por uma figura do sexo oposto ao do sonhador.
3) *Self* – arquétipo da totalidade e da transcendência, às vezes representado pelo Velho Sábio ou pela Velha Sábia (podendo, no entanto, assumir uma variedade extensa de formas humanas, animais e abstratas).

Em outra parte, chamei a estes de os "arquétipos do desenvolvimento", uma vez que cada um deles corresponde a um estágio distinto do desenvolvimento psicológico.[23] Cada um deles é encontrado num nível mais profundo da psique. Vamos discutir cada um desses estágios nos próximos capítulos, detendo-nos um pouco mais em cada um deles. Contudo, examinemos antes um tópico que nos fascina a todos – os sonhos!

---

[23] Robin Robertson, *C. G. Jung and the Archetypes of the Collective Unconscious* (Nova York: Peter Lang, 1987).

Capítulo 3

SONHOS

[...] Freud deriva o inconsciente do consciente [...] Eu colocaria a situação inversa: digo que a coisa que vem primeiro é evidentemente o inconsciente [...] No início da infância somos inconscientes; as mais importantes funções de nossa natureza instintiva são inconscientes e a consciência é, pelo contrário, um produto do inconsciente.

CARL JUNG

Os sonhos são uma ponte entre o consciente e o inconsciente. Jung acreditava que tudo que um dia enfim emerge na consciência origina-se no inconsciente, isto é, os arquétipos informes alcançam uma forma na medida em que os vivenciamos em nossa vida externa e em nossos sonhos. Não é suficiente considerar os eventos de nossa vida de um plano causal; precisamos também vê-los de um ponto de vista teleológico. Quer dizer, nós somos impelidos adiante não só por nossos atos passados, mas também pelas ações que necessitamos empreender, muitas das quais estão contidas em nós como arquétipos.

> Por serem os sonhos a expressão mais comum e normal da psique inconsciente, constituem a maior parte do material usado para sua investigação.[1]

Na sua atividade prática como psicanalista, os sonhos lhe eram imediatamente disponíveis como matéria-prima elementar utilizada por Jung para investigar o inconsciente. Como discutimos no Capítulo 1, foi a insistência de Freud sobre a relevância dos sonhos que primeiro atraiu Jung para a psicanálise. A descoberta feita por este das referências mitológicas nos sonhos levou-o ao seu conceito de inconsciente coletivo e aos seus elementos essenciais: os arquétipos. Jung foi inelutavelmente dirigido para o modelo que apresentou pelo simples fato de ter insistido em honrar os sonhos e relatar o que descobria.

A ideia de que existia um substrato coletivo na psique que interage com a consciência, e que podemos observá-lo nos sonhos,

---

[1] Carl Jung, *The Collected Works*, vol. 8: *The Structure and Dynamics of the Psyche*, copyright © 1960, 1969 (Princeton: Princeton University Press), p. 544.

Figura 4. José foi capaz de interpretar o sonho do faraó, que tinha desafiado os magos da corte, porque ele entendia que os sonhos são simbólicos, não literais. (*José interpretando o sonho do faraó*, extraído de *Nuremberg Chronicle*, Schedel, 1493.)

isolou Jung dos demais colegas. Isso pareceu-me em muito com o que já havia acontecido entre ele e seus colegas universitários, com respeito aos fenômenos paranormais. É sempre mais fácil descartar resultados estranhos do que considerar esse material por um prisma inteiramente original. No capítulo anterior, vimos que a realidade psicológica é bastante mais complexa que o presumido pelo senso comum. Vimos que os animais (incluindo os animais humanos como você e eu) nascem com a capacidade de acessar comportamentos e imagens que têm evoluído ao longo de todo o vasto período histórico de sua espécie (e de todas as espécies que a precederam). E esses conteúdos não estão apenas amontoados de qualquer jeito, em algum sótão poeirento de "memória racial"; estão organizados de maneira tão cuidadosa que podem ser ativados em pontos predeterminados de nosso desenvolvimento.

Jung chamou de arquétipos esses comportamentos e imagens herdados e eu sugeri a expressão alternativa invariantes cognitivos. Ele acentuava que esses arquétipos não têm forma fixa enquanto não forem ativados em nossa vida (ou seja, como no processo de *imprinting* que Konrad Lorenz documentou com tanto critério). Embora não compreendamos plenamente como opera esse mecanismo, ele é sem dúvida muito eficiente, na medida em que significa que um determinado arquétipo (digamos, o da mãe) pode operar numa ampla variedade de culturas, por incontáveis tempos e lugares. (Uma vez que o arquétipo parece ser essencialmente desprovido de forma, uma possibilidade é que um arquétipo seja armazenado como alguma espécie de algoritmo numérico, mas isso não é nada mais que especulação, neste estágio inicial da compreensão da natureza da mente.)

> [...] é só a nossa mente consciente que não sabe; o inconsciente parece já estar informado e ter apresentado o caso de um cuidadoso exame prognóstico, mais ou menos semelhante ao modo como a consciência teria procedido se estivesse a par dos fatos relevantes. Mas, precisamente porque estes são subliminares, puderam ser percebidos

pelo inconsciente e submetidos a uma espécie de investigação que antecipa seu resultado final.[2]

Como dissemos antes, Jung descreve a consciência como um diminuto ponto no topo da pirâmide do inconsciente. Logo após a divisa da consciência estende-se o inconsciente pessoal, repleto de recordações de imagens e comportamentos que adquirimos durante nossa vida. Para além do domínio do inconsciente pessoal penetramos nas regiões mais acessíveis do inconsciente coletivo, como as lembranças tribais ou culturais. Além disso, podemos avançar ainda mais até as recordações raciais e, inclusive, alcançar o estrato de memórias relativas a espécies anteriores. Será que isso é realmente possível? Ou será apenas uma insensatez mística, como alegam os críticos de Jung? Para responder a tais perguntas, precisamos analisar o estado atual do conhecimento científico concernente aos sonhos.

OUTRAS ESPÉCIES SONHAM?

As pesquisas sobre os sonhos indicam que dificilmente o sonhar é uma atividade confinada aos humanos. Mesmo um animal tão primitivo como o gambá, que pouco mudou em 65 milhões de anos, sonha. À exceção dos mamíferos comedores de formigas,

---

[2] Carl Jung, *The Collected Works*, vol. 18: *The Symbolic Life*, copyright © 1980 (Princeton: Princeton University Press), p. 545.

que são muito primitivos, todos os outros sonham. Os pássaros também sonham, embora despendam nessa atividade uma menor parte do dia que os mamíferos. Até mesmo os répteis eventualmente manifestam sinais de sonhar.

Claro que não podemos perguntar a um cachorro ou a um gato se eles sonham. Mas os pesquisadores descobriram que os humanos têm períodos de sono REM (movimentos oculares rápidos) aproximadamente a intervalos de 90-100 minutos, durante um sono noturno normal. No total, passamos entre uma hora e meia e duas horas nesses períodos REM. Tais ciclos não se limitam ao sono; passamos pelos mesmos ciclos *ultradianos* (mais de uma vez por dia) ao longo do dia todo, mas temos menos consciência deles. Quando os sujeitos são acordados durante um sono REM, normalmente relatam algum sonho. Os sujeitos também podem sonhar durante o sono não REM, mas esse sonhar parece mais confuso e fragmentado.

Outros mamíferos vivem episódios periódicos semelhantes de sono REM. Parece haver pouca diferença na quantidade total de sono REM, independentemente de quanto é desenvolvido ou primitivo aquele mamífero. Foi constatado, no entanto, que os carnívoros sonham mais que suas presas.

Em todas as espécies, o recém-nascido sonha muito mais do que o adulto. Isso significa que um bebê humano recém-nascido dorme dois terços do tempo e que metade desse sono é REM. Isso representa um total aproximado de 8 horas de sonho por dia, ou cerca de 4 a 5 vezes mais do que o que os adultos sonham.

Mas será que os animais realmente sonham, no mesmo sentido que nós sonhamos? Todas as evidências parecem indicar que sim.

> Os apaixonados por animais têm observado que suas criaturas favoritas fungam, gemem, ganem, miam, abanam ou agitam as caudas, mexem as patas, sugam, lambem as mandíbulas, respiram pesadamente e manifestam toda uma gama de emoções que sugerem estarem elas sonhando.[3]

É difícil não concluir que esses animais estão sonhando durante esses períodos, especialmente quando todas as medidas fisiológicas (ondas teta no EEG, rápida metabolização de oxigênio etc.) são consistentes com medidas semelhantes obtidas durante fases humanas de sonho, desde que façamos a equivalência das diferenças interespécies.[4]

O EFEITO DA PRIVAÇÃO DO SONO

Um episódio de *Guerra nas Estrelas – a Próxima Geração*, chamado "Terrores Noturnos", dramatizava de maneira assustadora os

---

[3] Gay Gaer Luce e Julius Segal, *Sleep* (Nova York: Lancer Books, 1967), p. 196.

[4] Os leitores devem verificar o trabalho de Ernest Hartmann, "Sono", em *The New Harvard Guide to Psychiatry*, org. Armand M. Nicholi Jr., M. D. (Nova York: Beknap Press, 1988); e Gay Gaer Luce e Julius Segal, *Sleep* (Nova York: Lancer Books, 1967), para uma análise de grande parte do material sobre a pesquisa científica dos sonhos nas duas seções anteriores.

efeitos da privação do sono. A nave Enterprise descobriu outra nave da Federação com um único sobrevivente. Todos os outros membros da tripulação tinham morrido de maneiras particularmente horríveis. Nas investigações conduzidas pela tripulação da Enterprise para desvendar as razões de tal tragédia, eles mesmos começaram a se comportar de maneira atípica: provocavam-se uns aos outros, mergulhavam em devaneios, viam ou ouviam coisas que não estavam lá. Essa tinha sido a maneira como os membros da tripulação da nave em questão tinham se comportado nos últimos dias antes de seu trágico fim.

Aos poucos, a tripulação da Enterprise descobriu que ninguém mais era capaz de sonhar porque alguma coisa tinha modificado seus ciclos REM. Felizmente, eles encontram uma maneira de reaver seu sono REM; mais uma vez, como em todas as boas aventuras de *Guerra nas Estrelas*, o desastre é evitado apenas nos últimos instantes. No final do episódio, todos os tripulantes estão deitados para dormir, sabendo que dessa vez poderão sonhar.

A pesquisa científica corrobora essa encenação fictícia. Em experimentos nos quais voluntários tentavam se manter acordados tanto quanto possível, acabavam ficando desorientados tanto espacial como temporalmente, tinham alucinações, perdiam a capacidade motora e, mais adiante ainda, manifestavam sintomas psicóticos, entre eles a paranoia. Em algum ponto, chegava a se tornar impossível impedi-los de sonhar; espontaneamente, os sujeitos entravam em períodos minúsculos, de fração de segundo, de sono REM, sem perceber que isso estava acontecendo com eles. Quando os participantes do experimento finalmente puderam dormir, caíram imediatamente num sono com sonhos, especialmente agitado, e assim permaneceram até acordar. Até certo ponto da privação do sono, o período de sono REM corresponde aproximadamente à quantidade perdida de sonhos durante o período insone.

Em outras tentativas de se descobrir o que acontece quando a privação de sono é mantida por mais tempo ainda, os pesquisadores fizeram uso de animais e, em vários casos, estenderam o período de insônia muito além dos limites de tolerância humana. Como nós, os animais impedidos de sonhar por um intervalo prolongado de tempo tornaram-se desorientados, perderam capacidades motoras e depois apresentaram sintomas que, dadas as características de sua espécie em particular, poderiam ser tidos como psicóticos.

POR QUE SONHAMOS?

Vamos resumir o que dissemos até aqui a respeito de sonhos. À exceção de um grupo de mamíferos, todos os outros têm o sono REM, e portanto sonham. As aves também sonham, menos porém que os mamíferos; os répteis às vezes parecem estar sonhando, embora isso não seja comum. Privados de sono, os humanos e outros animais tornaram-se desorientados e, mais tarde, psicóticos.

Lembremo-nos do modelo de cérebro triuno de Paul MacLean, apresentado no capítulo anterior. MacLean demonstra que o cérebro humano contém um subcérebro semelhante ao dos répteis, um segundo subcérebro que está no nível do desenvolvimento dos mamíferos, e um subcérebro final comum apenas aos outros primatas. Além disso, o cérebro réptil apareceu numa época em que a espécie tinha se tornado complexa o suficiente para precisar lidar com os comportamentos instintivos grupais, como a conduta de territorialidade, o ritual e a determinação das hierarquias sociais. O cérebro mamífero apareceu quando houve a necessidade de um mecanismo interno que governasse a consciência social e os relacionamentos comunitários. Por fim, o cérebro primata apareceu quando funções cerebrais superiores tornaram-se necessárias para dar conta de uma orientação visual cada vez mais predominante e dos primórdios da linguagem.

Com base no que expusemos acima, parece provável que os sonhos tenham sido um dos mecanismos para lidar com comportamentos sociais de ordem progressivamente mais complexa. Podemos imaginar que os primeiros protossonhos dos répteis, tendo aparecido entre 150 e 250 milhões de anos atrás, foram provavelmente frios e isentos de qualidade emocional. A rica amamentação emocional que associamos aos sonhos deve ter emergido, em grande parte, quando os mamíferos apareceram entre 10 e 20 milhões de anos atrás; e os primeiros sonhos mamíferos devem ter tratado de assuntos sociais e emocionais que iam se tornando cada vez mais complexos. Por fim, nos primatas, em particular nos humanos, os sonhos devem ter-se tornado predominantemente visuais, evidenciando no mínimo uma linguagem primitivo-simbólica, quem sabe?

Se esse cenário estiver correto, temos então de indagar: "a que propósito servem os sonhos em sua função de recurso para as pessoas poderem lidar com comportamentos sociais complexos?". Em seu livro *Consciousness Regained*, Nicholas Humphrey, psicólogo experimental especializado em comportamento animal, propõe o início de uma resposta.[5] Ele começa com um aspecto central dos sonhos, que em grande medida é ignorado: *nossa vivência no sonho é em todos os detalhes tão real para nós quanto o são todas as nossas experiências em vigília!* Não se discute que os sonhos transcorrem numa paisagem fantasmagórica em que as regras do mundo desperto não se aplicam, exceto uma: com poucas exceções, nossos sonhos evocam os mesmos sentimentos de felicidade, tristeza, medo, desejo, fome, sede, exultação, assombro, que vivemos em nossa vida cotidiana.

Em outras palavras, os sonhos centram-se na exatidão emocional, não na precisão física. É somente depois, à fria luz do dia, que condenamos o absurdo de nossos sonhos. Enquanto estão ocorrendo, podem ser absolutamente reais, como o atestam todos aqueles que algum dia já acordaram suando frio por causa de um pesadelo. Esse atributo dos sonhos corresponde

---

[5] Nicholas Humphrey, *Consciousness Regained* (Oxford: Oxford University Press, 1984).

bem ao desenvolvimento evolutivo dos sonhos que até aqui esboçamos – e nesse trajeto os primeiros verdadeiros sonhadores foram os mamíferos e o cérebro mamífero trata de questões de ordem emocional.

Aprendemos muito fazendo. Como vivenciamos os sonhos enquanto acontecimentos reais, Humphrey acentua que devíamos ser capazes de aprender com os nossos sonhos da mesma maneira como aprendemos com nossas experiências havidas em vigília. Ele afirma que sonhar constitui uma oportunidade para se experimentar novos comportamentos, como num ensaio, de modo que, quando a necessidade pede um novo comportamento, já o teremos aperfeiçoado. Uma vez que as crianças têm maior necessidade de aprender condutas futuras do que os adultos, elas, portanto, devem sonhar mais que estes. E, de fato, em todas as espécies os recém-nascidos sonham muito mais que os adultos; um bebê humano recém-nascido vive em sono REM cerca de 8 horas por dia, o que é de 4 a 5 vezes mais do que acontece com o adulto. É quase como se os bebês estivessem sonhando para aprender a existir. Humphrey sugere que existem quatro categorias nas quais poderíamos incluir os sonhos infantis:

1) as experiências que ainda não conhecem e, em especial, as que podem, como pessoas individuais, nunca vir a conhecer;
2) as experiências que não chegarão a conhecer na realidade senão depois que ficarem mais velhos;

3) as experiências que observam se dar com outras pessoas e que são características de sua comunidade;
4) as experiências que, quer tenham tido ocasião de observar quer não, são características dos seres humanos em geral.[6]

Em sua relação, Humphrey concentra-se naquelas experiências que uma criança ainda não teve na realidade. Contudo, conforme ela vai crescendo e tornando-se um adulto, deve começar a existir uma maior necessidade de incorporar as experiências reais da vida ao processo de aprendizagem mediante os sonhos. Nesse sentido, sugiro que se acrescentem pelo menos mais duas categorias a essa lista:

5) as experiências de nossa vida em vigília que tiveram êxito;
6) as experiências havidas em vigília que não se saíram tão bem.

No primeiro caso, nossos sonhos podem repetir e até mesmo aperfeiçoar nossos atos concretos, para vir novamente a usá-los com proveito em oportunidades futuras. Neste caso, os sonhos podem experimentar atos alternativos até que um deles enfim dê o resultado positivo desejado. Esses seis tipos de experiências oníricas permitem às crianças, e aos adultos também, aperfeiçoarem

---

6 Nicholas Humphrey, *Consciousness Regained*, p. 89.

e ampliarem o repertório dos comportamentos instintivos que está à nossa disposição desde que nascemos, assim como os novos comportamentos que aprendemos a acionar no decorrer da vida.

Se a teoria de Humphrey estiver correta, então só os sonhos devem deixar indícios concretos na estrutura de nosso cérebro, para que possam ser mobilizados quando for necessário em nossa vida diária, da mesma forma como os instintos são acionados. Em *Dreams and the Growth of Personality*, o psicólogo Ernest Lawrence Rossi resume as pesquisas que oferecem dados comprobatórios para a visão que estamos propondo, e que também é a de Michel Jouvet:

> Em 1975, o neurofisiologista francês Michel Jouvet propôs a teoria segundo a qual os sonhos (que ele chama de sono paradoxal) liberam programas genéticos [...] que servem para reorganizar o cérebro. Suas extensas pesquisas com gatos servem para fundamentar sua teoria.[7]

Os animais menos desenvolvidos que os répteis procedem quase que inteiramente à base de instintos. O comportamento pré-programado aparece para dar conta de praticamente todas as situações. Mas padrões fixos de conduta não lidam muito bem com mudanças. O animal individual precisa de mais liberdade de

---

[7] Ernest Lawrence Rossi, *Dreams and the Growth of Personality* (Nova York: Brunner/Mazel, 1985), pp. 203-6.

ação. Sob esse prisma, a maior complexidade dos répteis apareceu para oferecer aos répteis individuais uma maior variedade de comportamentos possíveis, além do conjunto de condutas transmitidas geneticamente e presentes a partir do nascimento. O sonhar primitivo teria sido então um processo intimamente vinculado a uma consciência mais complexa que permitia adaptações individuais ao meio ambiente.

Segundo essa perspectiva, os sonhos são uma parte central de um sistema total de consciência, em vez de alguma anomalia residual. Uma grande variedade de comportamentos futuros pode ser experimentada nos sonhos. Os sonhos de conclusão em aberto devem se repetir com variações até que ocorra alguma resolução. Os sonhos que levam a conclusões insatisfatórias devem ocorrer com frequência menor que aqueles que têm desfechos gratificantes. Toda variação dos que parecem dar certo provavelmente ocorrerá outra vez.

A complexa vida social e emocional dos mamíferos seria então vista como reflexo de uma crescente complexidade tanto da função consciente como da atividade onírica. Não se trata tanto de o quê causa o quê, mas mais de uma relação de reciprocidade: uma maior complexidade da consciência e do sonhar leva a uma maior complexidade de comportamento que, por sua vez, leva a uma maior complexidade de consciência e sonhos, *ad infinitum*.

Anteriormente neste capítulo, levantei a possibilidade de, com o aparecimento do neocórtex, os sonhos talvez terem se tornado mais ricos em razão da complexidade emocional disponível nos sonhos dos mamíferos. Os sonhos dos primatas devem ter se tornado cada vez melhores em termos da modelagem da realidade externa, em especial da realidade visual. Eles devem ter começado a refletir sobre a experiência, em vez de apenas vivenciá-la de maneira direta. Por fim, como a consciência dos primatas, os sonhos devem ter desenvolvido uma linguagem primitiva, provavelmente uma linguagem simbólica. Diante da expansão desenvolvimental do neocórtex nos humanos, todas essas características devem ter passado por um nível de sofisticação correspondente quanto ao sonhar humano. E, sem dúvida, é precisamente isso o que vivenciamos em nossos sonhos:

- Um cenário visual surpreendente mais rico do que o disponível à vida em vigília, porque um sonho pode usar qualquer imagem ou cor necessária para compor o quadro emocional que o sonho quer construir.
- Todos os níveis de reflexão: desde sonhos em que o sonhador não está presente, e é um mero observador externo, a sonhos nos quais o sonhador está profundamente envolvido na trama onírica, chegando até mesmo a sonhos lúcidos, em que o sonhador se torna consciente de que está sonhando, enquanto está sonhando, e pode mesmo alterar o sonho, enquanto continua sonhando.
- Uma linguagem simbólica tão desenvolvida que pode ser interpretada com êxito em uma ampla gama de níveis,

> desde a abordagem freudiana reducionista até a expansão da análise onírica junguiana, e as variedades de técnicas ecléticas usadas atualmente por diferentes escolas de interpretação de sonhos. O mais fascinante é que se torna praticamente impossível encontrar uma abordagem de sonhos que não ofereça ao pesquisador onírico um tesouro de dados psíquicos.

Em outras palavras, as características dos sonhos humanos correspondem com exatidão ao que poderíamos esperar do exame da história do desenvolvimento do cérebro. À luz dessa história, a alegação de Jung de que nossos sonhos podem acessar informações adquiridas em outras épocas que não aquela em que estamos vivendo, mas no transcurso das eras em que nossa espécie está existindo, torna-se menos fantástica. Seu modelo de consciente e inconsciente, interagindo nos sonhos, torna-se uma descrição razoável da realidade que equivale de perto ao conhecimento científico obtido até este ponto.

Sendo assim, presumo que a abordagem de Jung para os sonhos não necessita de outras argumentações em sua defesa e dedicarei o restante deste capítulo a discutir sem constrangimentos os significados práticos dos sonhos. Meu exame mal arranhará a superfície do trabalho onírico, mas espero que, ao menos, incentive os leitores a prestar uma maior atenção a seus próprios sonhos.

SONHOS E CONSCIÊNCIA

> Os feitos nunca foram inventados, foram realizados. Os pensamentos, por outro lado, são uma descoberta relativamente recente [...] Primeiro [o homem] foi incentivado a realizar seus feitos por fatores inconscientes e somente muito tempo depois foi que ele começou a refletir sobre as causas que o encorajaram nesse sentido; depois, custou-lhe ainda mais tempo chegar à inacreditável ideia de que ele mesmo deve ter se incentivado, pois sua mente não conseguia enxergar qualquer outra força motivacional que não a sua mesma.[8]

Como já vimos, a consciência é um fenômeno muito recente. Durante milhões de anos, animais e até mesmo pessoas conseguiram nascer, viver e morrer sem a plena consciência de uma função consciente, tal como hoje temos. Podemos sentir alegria e tristeza, esperança e medo, sem estarmos conscientes de que estamos tendo essas emoções. A ausência da conscientização não cria robôs que se movem inexoravelmente segundo um plano preconcebido; a dinâmica do inconsciente é muito mais complexa que isso.

Embora os arquétipos necessários ao nosso desenvolvimento já estejam em seu lugar no momento em que nascemos, nem por isso dois humanos (ou quaisquer outras criaturas) alguma vez

---

[8] Carl Jung, *The Collected Works*, vol. 18, p. 553.

vivenciaram de maneira idêntica esses comportamentos e imagens herdados. Apesar do fato de que há forças inconscientes subjacentes ao nosso comportamento, nossa vida é repleta de escolhas (embora permaneçamos inconscientes de muitas dessas opções). No entanto, não deixa de ser verdadeiro que a consciência oferece algo definitivamente novo para o desenrolar do jogo da vida.

> A razão pela qual a consciência existe e pela qual há uma urgência em ampliá-la e aprofundá-la é muito simples: sem consciência, as coisas não vão tão bem. Essa é, evidentemente, a razão pela qual a Mãe Natureza dignou-se a produzir a consciência, essa que é a mais extraordinária de todas as curiosidades naturais.[9]

Independentemente de a consciência ser ou não o feito máximo da natureza, ela é por certo sua mais recente novidade. Ninguém mais que Jung respeitou a função consciente e as heroicas iniciativas das pessoas no sentido de desenvolvê-la. O processo de individuação, que ele estudou com tanto cuidado, e que discutiremos neste livro em todos os seus aspectos, é um processo de ampliação do campo da consciência. Mas toda manifestação da consciência emerge do inconsciente, que é o berço final

---

[9] Carl Jung, *The Collected Works*, vol. 8, p. 695.

de todas as vidas. E os sonhos situam-se naquela fronteira mágica entre a consciência e o inconsciente.

Em virtude disso, as principais mudanças de nossa vida são refletidas de forma simbólica no espelho dos sonhos, muito antes de se tornarem evidentes na vida exterior. Isso às vezes só se torna claro depois do fato, quando uma longa série de sonhos pode ser examinada. Com muita frequência, no período imediatamente anterior a uma mudança significativa, um único sonho aparece para tratar de maneira simbólica do desenrolar inteiro do que se passará depois na vida da pessoa. O sonho é tão rico em seus significados que se torna impossível entender por completo tudo que está trazendo na primeira vez em que ocorre. Mais tarde, sonhos menores elaboram os aspectos individuais das mudanças vindouras. Aos poucos, inelutavelmente, elas vão se tornando transparentes conforme a função consciente se fortalece. Toda mudança consciente, toda resistência consciente pode ser seguida no ciclo dos sonhos: "Nós sonhamos um mundo que passa a existir e que nos sonha até passarmos a ser".[10]

Uma vez que existe um relacionamento dinâmico entre a função consciente e o inconsciente, é natural que eles reajam entre si. Se nossa atitude consciente se torna manifestamente doentia, do ponto de vista do organismo como um todo, o inconsciente vai compensar. Se considerarmos um exemplo

---

[10] Richard Grossinger, in *Dreams are Wiser than Men*, org. Richard A. Russo (Berkeley: North Atlantic Books, 1987), p. 191.

físico, temos o corpo detectando uma necessidade de um elemento-traço ausente em nossa dieta; nossa tendência será sentirmos fome de alguma coisa que contenha esse elemento químico necessário. É claro que, comendo às pressas pratos prontos ou sanduíches, como quase todos nós fazemos, não estamos tão sintonizados nas mensagens de nosso corpo quanto poderíamos estar se ainda vivêssemos mais próximos da natureza. Mas todos nós, num momento ou noutro da vida, sentimos crescer a vontade repentina por um alimento não normalmente presente em nossa dieta – uma hortaliça talvez, mesmo que de ordinário não sejamos vegetarianos.

Parece que esse processo não ocorre apenas no plano físico, mas também na nossa psique. Da mesma forma como o nosso corpo está constantemente trabalhando no sentido de promover a saúde e o bem-estar, nossa psique também tem o mesmo ímpeto. Por isso, Jung pensava que a função primária dos sonhos era servir como compensação inconsciente de nossas atitudes conscientes. Sem dúvida, ele quer dizer sonhos adultos, uma vez que não há necessidade de compensações enquanto não houver um campo consciente para ser compensado. Nesses termos, a visão de Jung complementa a de Humphrey apresentada no último capítulo, em vez de contradizê-la. Nas crianças, os sonhos são em grande medida os locais em que comportamentos futuros e novas atitudes estão sendo experimentados. No caso dos adultos, eles também são a escola em que aprendemos modos apropriados de comportamento e desaprendemos os modos que não funcionam. Quando nos tornamos adultos, existe menos necessidade de aprendizado de comportamentos futuros e mais necessidade de desenvolvermos nosso pleno potencial.

> Com respeito a isso, existem três possibilidades. Se a atitude consciente na situação de vida é muito unilateral, então o sonho se incumbe do lado oposto. Se o consciente tem uma posição relativamente "centrada", o sonho satisfaz-se com variações. Se a atitude consciente está "correta" (é adequada), então o sonho coincide com essa tendência e a acentua, embora não desvie nem distorça sua peculiar autonomia.[11]

Por exemplo, se a pessoa se torna muito pedante, muito segura de que "está com todas as rédeas na mão", é provável que sonhe que está recebendo uma justa punição. Se está desvalorizando alguém, o sonho pode apresentar-lhe uma figura desprezível como figura exaltada, até mesmo como um deus. Infelizmente, raras vezes as coisas são tão óbvias. Nossas atitudes conscientes costumam ter uma natureza mais complexa; algumas atitudes corretas e outras alucinadamente impróprias. A vida também não se mantém imóvel: atitudes convenientes no passado podem, no presente, se mostrar inadequadas. Por fim, são poucas as situações na vida que não nos exigem a capacidade de

---

[11] Carl Jung, *The Collected Works*, vol. 8, p. 546.

considerar os dois lados de uma questão para conseguirmos chegar a um juízo relativamente equânime. A vida não é fácil.

A NATUREZA INCONSCIENTE DOS SONHOS

> O sonho [...] não pode produzir um pensamento definido, a menos que deva cessar de ser um sonho [...] O sonho [...] manifesta a *fímbria da consciência*, como o pálido lampejo das estrelas durante um eclipse total do sol.[12]

Uma vez que os sonhos existem no limiar entre o campo da consciência e o inconsciente, assim que registramos nosso sonho e interagimos com ele, começa a se formar uma ponte entre os dois reinos. Quanto mais rápido o acesso consciente-inconsciente, mais se aceleram o crescimento e a mudança. Assim que nos tornamos conscientes de nossos sonhos, eles reagem à nossa conscientização. Depois observamos como eles reagem e reagimos a eles, e assim por diante.

Alguns psicólogos têm teorizado a respeito dos sonhos, dizendo que não se propõem a ser examinados dessa forma, e que assim procedendo estamos talvez prejudicando a psique. Segundo minha experiência, não temos com que nos preocupar a respeito de causarmos danos ao processo natural de crescimento.

---

[12] Carl Jung, *The Collected Works*, vol. 18, p. 511.

O inconsciente parece cuidar disso automaticamente. Se o sonhador não estiver pronto para algum novo elemento do autoconhecimento, ele pode examinar seu sonho e não se dar conta desse aspecto crítico. A coisa vai embora como se não tivesse sido absolutamente vista.

Isso acontece assim porque o inconsciente é exatamente isto: *não consciente*, ou seja, aquilo que não estamos ainda em condições de tomar consciência. Há alguns anos, um amigo participava de um grupo de sonhos semanal, conduzido por um analista junguiano maravilhosamente élfico, que chamarei aqui de Theodore. Uma noite, esse analista apresentou ao grupo um sonho recente que ele mesmo havia tido. Meu amigo teve a arrependida compreensão do que era aquele sonho, e conseguiu fazer com que Theodore compreendesse do que se tratava aquele sonho. A explicação dada fez imediatamente sentido para Theodore. Ele sabia que era importante e repetiu a explicação para si mesmo várias vezes.

Mais tarde, nessa noite ainda, ele perguntou ao meu amigo se ele poderia lhe dizer de novo o que havia comentado sobre o sonho. Ele havia esquecido completamente. Assim que ouviu outra vez a explicação, disse: "Mas, claro, claro", e repetiu as palavras de novo para si mesmo. Mais uma vez nessa noite ainda, constrangido, ele novamente pediu ao meu amigo que repetisse pela terceira vez sua explicação. Finalmente, quando todos estavam começando a ir embora depois do término da reunião, Theodore suplicou-lhe se ele teria a delicadeza de repetir ainda uma vez sua explicação. Sem dúvida, se uma coisa é inconsciente, é muito difícil torná-la consciente.

TRABALHANDO COM NOSSOS SONHOS

> Nenhuma dose de ceticismo e críticas conseguiu até o momento fazer-me considerar os sonhos como ocorrências irrelevantes. Muitas vezes eles parecem não ter sentido, mas é óbvio que somos nós que não temos o sentido e a engenhosidade capazes para ler a enigmática mensagem [...][13]

Honre seus sonhos. É mais importante registrá-los e revê-los do que conjecturar o que significam. Os sonhos são tão repletos de significados que é improvável que um dia você consiga esgotar o sentido de até mesmo um único sonho. É esse o inevitável resultado de procederem eles do inconsciente. Todo sonho apresenta material que você é capaz de conscientizar com cuidado, material que está no umbral da consciência, e também material distante do foco da consciência que talvez você nunca conscientize e entenda por que está presente naquele sonho.

Toda pessoa ou objeto pode representar ou a pessoa ou o objeto concretos, ou pode servir de símbolo de alguma qualidade no interior de sua personalidade. Mas, normalmente, você deve

---

[13] Carl Jung, *The Collected Works*, vol. 16: *The Practice of Psychotherapy*, copyright © 1985 (Princeton: Princeton University Press), p. 325.

pressupor que são símbolos quando for trabalhar com seus sonhos, pois, em geral, estes costumam comunicar-se por meios simbólicos. Depois de você ter trabalhado bastante com os sonhos, chegará a perceber quando eles estão falando de maneira objetiva e quando sua mensagem é simbólica.

Escolha pessoas ou objetos em seus sonhos e considere-os símbolos. Ou seja, observe tudo o que você associa a essa pessoa ou objeto. Tente determinar quais associações têm a mais intensa significação para você, como primeiro passo, mas não ignore as demais associações que lhe ocorrerem. Você não está tentando reduzir o sonho a uma explicação única; em vez disso, está tentando "amplificá-lo" até que ele comece a ecoar no seu íntimo de uma maneira poderosa. Lembre-se de que os sonhos tiveram início com nossos ancestrais mamíferos e que estão alicerçados na emoção. Por essa razão, confie em suas emoções quando tiver que julgar se está ou não no caminho certo. Não permita que sua mente racional o force a chegar a conclusões que não obtêm o apoio de seus sentimentos.

É útil contar com o auxílio de um bom dicionário para buscar a etimologia da palavra que denomina um objeto ou uma ação presentes em seu sonho. Isso não é uma contradição com respeito ao que acabei de dizer quanto a confiar nas próprias emoções, em vez de nos pensamentos, quando se trata de entender seus sonhos. Você não estará procurando uma definição particular, exclusiva, para dar conta do símbolo de seu sonho; na realidade, está em busca do desenvolvimento histórico desse símbolo. As palavras são verdadeiros símbolos, contendo a totalidade de sua história em seu próprio bojo. Se isso parecer estranho, experimente por algum tempo esse método e veja se com isso não é comum chegar a entender um sonho que, sem essa técnica, permaneceria inexplicável.

> Na primeira vez que um sonho ocorre ele pode parecer superficial, repetitivo e banal. A segunda vez, pode ser um mês ou quarenta anos depois. Existencialmente, é o mesmo sonho [...] Conforme o processo continua, o sonho pode enfim ser tão breve que chegue a transmitir sua mensagem numa única nota, um hiato entre o sonhador e uma forma semiencoberta, um rosto ligado a um som e depois ao escuro. É praticamente impossível transcrevê-lo em alguma linguagem; trata-se de um hieróglifo.[14]

Novamente em virtude da linguagem simbólica dos sonhos, eles com frequência falam por meio de charadas. Por exemplo, o dr. Henry Reed, um dos pioneiros na pesquisa com sonhos, certa feita conduziu um levantamento com sonhos a respeito de sapatos. E descobriu que em sua maior frequência ocorriam em pontos críticos de transição na vida da pessoa, quando ela precisa reexaminar suas "bases", sua visão básica de vida. Ou seja, nossos sapatos são o ponto sobre o qual nos colocamos sobre a terra; são por isso nossas "bases". Se isso parecer uma charada ridícula,

---

[14] Grossinger, in *Dreams are Wiser than Men*, p. 205.

experimente a chave de decifração quando você tiver um sonho com sapatos.

Tomemos outro exemplo (apenas a título de exemplo; não presuma que você conta com definições instantâneas hidrossolúveis para entender o que é um símbolo onírico): um motivo comum em sonhos é a pessoa descobrir que está sem roupas. Brinque um pouco com isso. Você está nu, pelado, exposto. Ah, essa última palavra talvez desperte algo. Talvez você tenha se revelado muito e se sinta "exposto" em sua vida. Mas, claro, tudo o que concerne a essa situação corrobora o significado. Você está só e nu no sonho? Cercado por outras pessoas? Constrangido? Ou se sente descontraído e à vontade por estar se expondo?

Um paciente certa vez sonhou que estava desenterrando nabos (*turnips*) no solo de um planeta desconhecido. Quando conversamos a respeito dessa imagem, ele percebeu que "*turnips*" eram uma charada para "turn-ups", ou seja, aquilo que ele estava revirando de cara para cima, extraindo do solo do inconsciente, em seus sonhos. As charadas ocorrem com tanta assiduidade nos sonhos que é importante verificar constantemente se não estarão presentes. Contudo, cada pessoa tem seu próprio vocabulário onírico e há uma imensa variação em termos do tipo e da frequência das charadas. Lembremo-nos da descoberta de Jung de que os sonhos muitas vezes repetem temas mitológicos. Se algum elemento em seu sonho o faz pensar em algum mito (ou conto de fada), leia sobre esse mito e veja se ele não explica o que você sonhou. Às vezes, a estrutura de um sonho será tão parecida com a de certo mito que a semelhança se evidenciará por si. Nesses casos, é útil comparar cuidadosamente seu sonho com o mito para ver em que sentido aparece sua versão pessoal. O mito lhe oferecerá a sensação de um problema geral com o qual você está lidando. Suas variações pessoais lhe informarão muito sobre sua perspectiva individual e irrepetível a respeito desse problema.

O famoso terapeuta familiar Carl Whitaker valia-se dessa função do inconsciente para trabalhar com novos pacientes. Um de seus recursos favoritos era sentar-se com uma família e contar-lhes "contos de fada fraturados". No início, os membros da família pensavam que estavam escutando uma história tradicional, mas de alguma forma as coisas iam se tornando mais e mais distorcidas, conforme Whitaker ia falando. Ele confiava em que seu inconsciente iria escolher o conto certo e reestruturá-lo de maneira a ajustá-lo à situação. O que ocorria era sempre a narração da história da família que estava começando a atender, embora tão revestida de metáforas que chegava a afetar as pessoas daquele grupo familiar de uma maneira inconsciente, não consciente.

Confie em si quando sentir que um sonho é significativo; se um sonho parecer importante, ele em geral o é. Contudo, o oposto não é tão claro. Às vezes um sonho muito importante não parecerá tão significativo porque você ainda não quer encarar a questão de que ele trata. Nesses casos, não se pressione e não force um confronto direto com esse problema, se não se sentir à vontade para tanto. Perceba, contudo, que talvez você queira rever sonhos anteriores, em algum momento futuro. Quando o fizer, talvez fique chocado ao se dar conta do quanto são importantes sonhos aparentemente inócuos.

Por exemplo, quando um terapeuta estava no início de sua descoberta da psicologia junguiana, tornou-se um "crente", como acontece com tantos convertidos a uma "nova profissão de fé". Nessa época, ele sonhou que era um vendedor de discos psicanalíticos fundamentalistas. Dificilmente se poderia conceber uma melhor imagem para expor uma atitude consciente distorcida. Mas, naquela época, ele não teve a mais pálida noção do que aquele sonho estava transmitindo.

Tente empregar meios incomuns para entrar em contato com o sonho. Você pode fechar seus olhos e tentar retomá-lo. Se isso der certo, volte para algum trecho do sonho que o confundiu e continue sonhando dali em diante. Isso é basicamente a técnica que Jung criou (pelo menos no mundo ocidental moderno) e que denominou *imaginação ativa*. O termo tem uma peculiar adequação porque, infelizmente, a maior parte das pessoas foi ensinada a desdenhar as fantasias, os devaneios e a própria imaginação, como desperdícios de tempo. A ideia de que a imaginação e a fantasia podem ser ativas é muito estranha ao pensamento ocidental contemporâneo.

Existem muitas variações dessa técnica; por exemplo, tenha um diálogo com as pessoas ou objetos do seu sonho. Uma boa maneira de fazer isso é usando a técnica das "duas cadeiras", introduzida originalmente por Fritz Perls, o fundador da Terapia da Gestalt. Coloque duas cadeiras uma de frente para a outra; depois sente-se numa e imagine a pessoa (ou objeto) de seu sonho na outra. Diga o que lhe ocorrer à mente. Depois, mude para a outra cadeira e finja que é a pessoa (ou o objeto). Responda para você mesmo. Volte ao seu assento original. E troque de cadeira para manter o diálogo. Você descobrirá que é muito mais fácil fazer isso do que parece. Se usar essa técnica, experimente gravar a conversa e depois transcrevê-la em seu diário.

Ou esqueça o gravador e mantenha o diálogo por escrito. Tente primeiro sentir-se relaxado. Se você sabe meditar, pratique a meditação por uns instantes, para se centrar. Se não sabe, eis um método fácil. Primeiro sente-se com conforto e feche os olhos. Tome consciência de seus pés – e não preste atenção no resto de seu corpo. Desse ponto, desloque sua atenção para o alto de sua cabeça. A seguir, para o meio do peito. E vá deslocando o foco de sua atenção por outras partes de seu corpo, até sentir-se à vontade com o deslocamento de sua atenção para qualquer ponto que desejar. Agora, suavemente, sinta toda a sua pessoa. Você vai notar que está respirando mais devagar e profundamente conforme o processo se desenrola, o que na realidade só leva poucos minutos.

Agora tenha uma conversa com a pessoa (ou objeto) de seu sonho, como sugeri, usando a técnica das duas cadeiras. Exceto neste caso, registre o diálogo por escrito. Prefiro esta última alternativa usando um processador de textos. Outros podem sentir que isso é muito invasivo e preferir papel e lápis. Você também pode desenhar, pintar ou esculpir seu sonho. Contrariamente às expectativas, isso muitas vezes é mais eficaz se você não tiver muita aptidão artística. Tente, ainda, dar um nome ao seu sonho, como se tratasse de uma história curta ou de um breve enredo dramático. Você pode aperfeiçoar esse processo dividindo o sonho em atos, fazendo a relação dos protagonistas, da ação etc. Isso costuma ser muito proveitoso uma vez que os sonhos se prestam a essas estratégias dramáticas.

Em resumo, existem muitas e muitas maneiras de se trabalhar os sonhos. Vamos dizer mais coisas a esse respeito, salientando aspectos específicos dos sonhos, nos capítulos finais deste livro. A coisa mais importante, porém, é lembrar do sonho e registrá-lo. Se você não fizer isso, nada mais será possível.

Os sonhos formam um registro do processo de individuação. No próximo capítulo, daremos início à discussão do ponto de partida desse processo: o conceito junguiano de tipos psicológicos.

Capítulo 4

TIPOS PSICOLÓGICOS

[...] Uma vez que os fatos mostram que o tipo-atitude é um fenômeno geral dotado de uma distribuição aparentemente randômica, não pode ser uma questão de julgamento ou intenção consciente, mas deve ser devido a alguma causa instintiva, inconsciente.

CARL JUNG

No Capítulo 1, falamos a respeito de como Jung percebeu que a descoberta de Freud acerca do complexo de Édipo demonstrava que homens e mulheres contemporâneos ainda repetiam os temas da mitologia clássica em suas próprias vidas e os refletiam em seus sonhos. Ele quis ir além do exemplo inicial de Freud, para ampliar os limites da psicologia, "afastando-se da vasta confusão do presente para vislumbrar a mais alta continuidade da história".[1] Em vez disso, constatou que Freud contentava-se em permanecer com a sua teoria do complexo de Édipo, que logo se cristalizou num dogma.

Em razão de contar com conhecimentos especializados que abrangiam vários campos do conhecimento, Jung estava mais bem equipado que Freud para investigar esse novo território, e o fez por conta própria, na esperança de demonstrar a Freud suas alegações. No entanto, como lemos no Capítulo 1, quando Jung publicou seu *Símbolos da Transformação*, em que mostrava a existência de paralelos entre as fantasias de uma mulher moderna e uma imensa variedade de temas mitológicos, isso foi demais para Freud, e ele rompeu relações com Jung.

Jung não foi nem o primeiro nem o último dos discípulos de Freud a ser rejeitado ou a rejeitar Freud. Este era uma formidável figura paternal que tendia a ver seus seguidores como seus filhos. Essa atitude acabou forçando muitos dos psicanalistas mais independentes a romper com Freud para poderem encontrar seu próprio caminho na vida. Dois anos antes de Jung ter se afastado, Alfred Adler tinha rompido sua ligação com Freud em virtude da insistência deste último sobre a sexualidade como o motivo subjacente para os comportamentos humanos. Adler insistia igualmente que o impulso primário era o da obtenção de poder,

---

[1] Carl Jung, *The Collected Works*, vol. 5, 1.

numa compensação pelo sentimento de inadequação (o complexo de inferioridade).

Depois de sua "excomunhão" da reduzida comunidade de psicanalistas, Jung tentou compreender por que ele e Freud diferiam tanto. Como podia ser que ele e Adler insistissem tanto numa única força motivacional? De seu lado, Jung acreditava que temos múltiplos instintos a dirigir nossa vida. A sexualidade e a vontade de poder são ambos impulsos instintivos. Nenhum deles era, porém, necessariamente exclusivo, assim como tampouco os instintos davam conta de toda a história. Ele sempre achou que havia um apelo do espírito a determinar o curso de nossa vida, e não achava que esse espírito fosse necessariamente mais fraco que os impulsos instintivos. Se fosse, jamais teríamos construído catedrais.

INTROVERTIDO E EXTROVERTIDO

Jung iria descobrir o elo entre o instinto e o espírito na noção de arquétipos do inconsciente coletivo, cada um dos quais estendendo-se do mais elevado ao mais baixo âmbito da experiência humana. No entanto, era igualmente interessante que Freud e Adler tivessem atração inconsciente por "deuses" opostos, ao passo que Jung se mantinha um politeísta. Parecia claro a este que os seres humanos eram impelidos e arrastados por múltiplas forças, que não podiam necessariamente ser reduzidas a uma única. Isso o levou a ir em busca de modelos históricos do caráter humano que pudessem explicar pessoas tão diferentes como Freud e Adler (e Jung). Da mesma maneira como os invariantes cognitivos eram estruturas eternas que a mente humana usava como filtros para a realidade, Jung chegou depois a concluir que havia um pequeno número de tipos humanos eternos.

A título de ilustração, Freud considerava que a humanidade permanecia eternamente dividida entre o princípio do prazer e o da realidade. Quer dizer, todos querem satisfazer sua necessidade de ter prazeres – em especial, os sexuais –, mas a realidade coloca limites à nossa capacidade de satisfazer tais necessidades. Sem dúvida, a visão de Freud coloca a ênfase no mundo externo, nos prazeres "lá de fora", restrições "externas" (mesmo que elas tenham sido internalizadas).

Por seu turno, Adler considerava que a humanidade sofria do sentimento de inferioridade, de um tipo ou de outro. Para compensar esse *complexo de inferioridade*, tentamos chegar ao poder. Sentindo-nos poderosos, somos capazes de neutralizar nosso sentimento de inferioridade. Por certo que a visão de Adler coloca a ênfase no mundo interno, em nossa reação subjetiva a eventos externos.

Claro que todo acontecimento pode ser visto de uma das duas perspectivas. Podemos examinar o que aconteceu no mundo exterior ou podemos examinar o que a pessoa sente a respeito desses acontecimentos. Jung percebeu que cada pessoa tem uma predisposição para uma ou outra dessas duas abordagens da vida. Um tipo de pessoa instintivamente recua quando o mundo se aproxima, e outro tipo instintivamente avança na direção do mundo. Ele chamou de *extroversão* o movimento de avanço em direção ao mundo (do latim *extra* – fora, e *exterus* – para fora), e o movimento de recuo para a própria interioridade ele chamou de *introversão* (do latim *intro*, para dentro). *Extrovertida* é a pessoa cuja atitude primária diante da vida é a extroversão; *introvertida* é aquela cuja atitude elementar é a introversão.

Ambas são atitudes básicas a ponto de ser impossível encontrar qualquer forma de vida por mais primitiva que não evidencie ambos os comportamentos. Uma ameba vê tudo que encontra no mundo como comida ou inimigo. Ataca e absorve a comida e foge do inimigo. Podemos considerar a primeira reação um movimento de avanço em direção ao mundo, e a segunda, um recuo diante deste. Os animais superiores possuem os mesmos instintos. Há poucos anos, as pesquisas de Hans Selye a respeito dos efeitos do estresse demonstraram como, sob condições estressantes, nosso corpo produz substâncias químicas que nos preparam para lutar ou fugir. Uma vez que diante das modernas condições de estresse não podemos nem fugir nem atacar, não temos canal de saída para esse excedente energético e só nos resta permanecer excitados e ansiosos uma grande parte do tempo.

Embora tenhamos condições de escolher uma ou outra das abordagens de mundo quando a situação o exige, preferimos nitidamente uma das duas. A festa barulhenta que o extrovertido adora é um tormento para o introvertido. O amor do introvertido pelo que é familiar é mortalmente enfadonho para o extrovertido. Quando o introvertido se cansa, precisa afastar-se e isolar-se para recarregar suas forças. Por seu lado, os extrovertidos precisam ir ao encontro de pessoas ou de coisas, para se sentirem aprumados de novo.

Muitos testes psicológicos modernos para se delinear a personalidade usam as dimensões da extroversão e introversão, mas consideram-nas de um ponto de vista estatístico. Quer dizer, esses testes presumem que todos têm certo grau de extroversão e introversão, mas que a maioria das pessoas apresenta uma mescla relativamente equilibrada de ambas as qualidades. As pessoas fortemente introvertidas ou extrovertidas são vistas como uma porcentagem estatisticamente reduzida da população.

Essa abordagem destrói o conceito de Jung. Ele não achava que alguém tivesse que ser tão espalhafatosamente expansivo como o proverbial vendedor de carros usados para ser um extrovertido, nem tão retraído quanto um eremita para ser introvertido. Esses são extremos que se evidenciam nos testes de personalidade como extrovertido e introvertido.

Como se deu a respeito de tantas outras facetas de seu trabalho, Jung enxergou mais longe do que apenas os traços comportamentais externos mais óbvios. Recapitulando: a extroversão é um movimento psíquico para fora, que avança rumo ao mundo, ao passo que a introversão é um recuar da energia para a própria psique. A maioria das pessoas exibe uma nítida predileção por outro dinamismo, independentemente dos extremos de comportamento que os testes psicológicos consigam localizar.

A razão de esta distinção ser tão importante está no fato de os introvertidos terem em comum vários traços que contrastam com os dos extrovertidos, seja qual for seu teor de introversão. Contudo, uma vez que seu comportamento costuma ser mais vezes uma evidência das restrições sociais do que de suas preferências pessoais, muitas vezes torna-se necessário recorrer aos sonhos da pessoa para descobrir se ela é introvertida ou extrovertida. Se o sonhador estiver mais frequentemente em conflito com uma pessoa introvertida, ele é extrovertido, e vice-versa. Isso é assim porque a atitude menos desenvolvida recuou para o inconsciente e assumiu várias formas personificadas. (Discutiremos esse aspecto com mais detalhes quando tratarmos da Sombra, no próximo capítulo.)

AS QUATRO FUNÇÕES

Observe que o conceito junguiano de introversão e extroversão facilmente explicou a oposição entre Freud e Adler a respeito de qual seria o impulso humano primário. Contudo, ainda não explicou a própria diferença entre Jung e os outros dois. Uma vez que o próprio Jung era tanto uma pessoa introvertida como um pensador brilhante que de alguma maneira se sentia incomodado com seus sentimentos, ele no início preferiu equacionar introversão a *pensamento* e extroversão a *sentimento*. Foram necessários quase dez anos mais para Jung se dar conta de que as diferenças entre introvertidos e extrovertidos não eram a totalidade nem a resposta final da personalidade humana. Aos poucos, veio a perceber que pensamento e sentimento eram dimensões diferentes da personalidade e de atuação independente em termos de a pessoa ser introvertida ou extrovertida. Assim que se viu livre para pensar em outras divisões, além da introversão-extroversão, logo percebeu que muitas pessoas se colocavam na vida não pelo pensamento, nem pelo sentimento, mas pela própria *sensação*. (A capacidade linguística de Jung serviu-lhe para tanto de firme esteio, pois, em sua língua nativa, o alemão, "sentimento" e "sensação" não se distinguem com tanta clareza e por isso confundem-se facilmente.) No entanto, parecia restar uma quarta qualidade que não se distinguia muito do sentimento, no sentido de qualquer das línguas ocidentais, mas que para ele parecia qualitativamente diferente do sentimento, e então chamou-a de *intuição*.

A distinção que Jung usou consistiu em limitar *sensação* às informações que recebemos através de nossos órgãos dos sentidos – visão, audição, paladar etc. A *intuição* é usada quando recebemos informações diretamente do inconsciente, sem o recurso às sensações. Uma vez que todas as percepções ocorrem dentro de nós, de alguma forma, a distinção não é tão nítida quanto se pode imaginar.

Portanto, além das duas atitudes, ou tipos, a introversão e a extroversão, Jung tinha agora quatro funções para serem usadas em nossa inserção no mundo: o pensamento, o sentimento, a sensação e a intuição. A sensação e a intuição são ambas funções perceptivas. Usamo-las para adquirir dados que então processamos pelo pensamento e pelo sentimento. O pensamento identifica e classifica as informações que adquirimos pela sensação e pela intuição. O sentimento atribui-lhes um valor, informa-nos qual é o valor desses dados.

Uma vez que tanto o pensamento como o sentimento podem ser aplicados com razão e discriminação, ele os denominou funções *racionais*. Jung reconhecia que temos uma predisposição para igualar razão e pensamento e para menosprezar o sentimento qualificando-o de não cognitivo, porque confundimos esse processo com seu equivalente físico – a emoção. Mas os sentimentos (pelo menos dentro da definição de Jung) não são emoções. Alguém com uma função sentimento altamente elaborada pode atribuir valor a uma coisa, com muito mais razão e com características nítidas, à semelhança do melhor pensador que pode inserir um conteúdo em sua categoria mental apropriada.

A sensação e a intuição, por outro lado, são funções *irracionais*. São as nossas janelas para o mundo e, nesse sentido, fornecem os dados de que pensamento e sentimento necessitam para operar. Numa época tão exageradamente racional como a nossa, rotular algo como irracional é o equivalente a condená-lo por uma questão de princípio. Jung não tencionava em absoluto imputar conotações pejorativas quando chamou a sensação e a intuição de funções irracionais. Cada função tem um propósito e todas são igualmente válidas quando usadas em sua finalidade precípua. Todas são igualmente inválidas quando tentam substituir – impropriamente – uma outra função.

Observe que as quatro funções rapidamente se dividem em dois pares complementares de funções – pensamento × sentimento, sensação × intuição. Pensamento e sentimento são mutuamente exclusivos; não se pode categorizar uma coisa e ao mesmo tempo atribuir-lhe um valor. Faz-se uma coisa ou outra. Tampouco o sujeito pode recorrer aos seus sentidos em busca de informações e, ao mesmo tempo, voltar-se para si em busca de uma pista que indique o que vai ocorrer. Uma vez que nossa tendência é continuar fazendo aquilo que fazemos melhor, instalamo-nos em uma ou outra das quatro funções e ela se torna nossa função primária. A função oposta é relegada ao inconsciente. Jung denominou-a de *função inferior*.

FUNÇÃO INFERIOR

Discutirei as quatro funções com alguns detalhes, mas consideremos rapidamente a função inferior primeiro. Vamos dizer que a pessoa é uma *pensadora* (o que significa aqui que sua função primária é o pensamento). Por ser boa nisso, ela quase que invariavelmente prefere pensar a sentir. É possível que ela até substitua o sentimento por um pensamento em situações nas quais sentimentos seriam claramente a resposta indicada. Sua função sentimento, que, para início de conversa, não funciona muito bem, piora com a falta de uso.

No entanto, uma vez que ela precisa de alguma coisa em que pensar, vê-se forçada a usar ou a sensação ou a intuição para conseguir a matéria-prima que sua função pensamento refina em metal de primeira qualidade. Provavelmente, ela se valerá mais da sensação ou da intuição, mas não há conflitos internos envolvendo essas duas funções e a função-pensamento. Embora ela não possa intuir e ter a sensação orgânica ao mesmo tempo, ambos os processos combinam bem com o pensamento. Portanto, é altamente possível que, com o correr dos anos, ela venha a desenvolver a sensação ou a intuição tornando-a um recurso de alta definição, embora ainda subserviente à função principal – o pensamento.

Embora as outras três funções (em nosso exemplo, o pensamento, a sensação e a intuição) sejam usadas de forma consciente, a função inferior – o sentimento – torna-se inconsciente. A pessoa deixa inclusive de perceber que é possível sentir alguma coisa. Quando as circunstâncias absolutamente forçam-na a sentir, seus sentimentos são contaminados por toda espécie de material inconsciente, bom e mau. Nos momentos fracos, o inconsciente inunda a função inferior e apodera-se de nós. A função inferior torna-se, nessa medida, nosso canal de saída para o inconsciente, e este é a fonte de tudo que é mágico e maravilhoso na vida.

Se Freud tivesse razão, e nosso inconsciente consistisse tão somente de lembranças reprimidas, ele não seria mágico. Mas Freud não estava com a razão: por baixo dessas lembranças reprimidas (o inconsciente pessoal), estende-se um vasto arcabouço dotado de auto-organização e contendo as recordações coletivas. Parece ilimitado quanto ao tempo e ao espaço; presume-se que possa alcançar tanto o futuro como o passado. No momento atual, pode nos oferecer informações a respeito de eventos que se passam a milhares de quilômetros de distância. O inconsciente coletivo nos liga a todos e a tudo que existe, que já existiu e que talvez venha a existir. (Veja mais a esse respeito no capítulo sobre Self.)

Todo sentimento espiritual, toda iluminação musical, toda vivência criativa, advém do inconsciente coletivo. Se existe ou não um Deus por trás dessas vivências é uma indagação metafísica que todos teremos que responder num ou outro momento de nossa vida. Mas não há como negar a qualidade *numinosa* de nossa vivência do inconsciente coletivo através da função inferior.

Numinoso é um termo cunhado pelo teólogo Rudolf Otto[2], a partir do latim *numen*, que significa energia ou gênio criativo. Otto queria uma palavra que expressasse o sentimento de assombro e mistério que todos registramos em diversos momentos da vida. Independentemente de nossas convicções religiosas (ou da ausência delas), invariavelmente sentimos o inconsciente coletivo como numinoso. Ele pode ser numinoso *e* aterrador, numinoso *e* provedor, numinoso *e* abstrato, mas sempre numinoso. Este é

---

[2] Rudolf Otto, *The Idea of the Holy* (Londres: Oxford University Press, reimpressão em brochura, 1958).

um inquestionável indício de que estamos diante de um aspecto da realidade que é mais do que humano.

Em seu libreto *The Inferior Function*[3], a renomada colega de Jung, dra. Marie-Louise von Franz, diz que a função inferior traz consigo uma imensa carga emocional, na medida em que contém toda a energia que foi encaminhada para o inconsciente toda vez que a consciência se viu incapaz de lidar com alguma situação. Em razão disso, as pessoas ficam inundadas de emoção toda vez que alguém espeta sua função inferior. Isso pode ser negativo, mas também oferece a esperança de desenterrar um tesouro de intensidades emocionais que até então foi negado ou negligenciado.

Da mesma forma como às vezes é difícil decidir se a pessoa é introvertida ou extrovertida, pode ser igualmente árduo determinar sua função primária. Isso se torna em particular verdadeiro se ela tem uma função secundária altamente desenvolvida. Nesse caso, é mais fácil encontrar a função inferior e a partir desta deduzir a primária. O truque consiste em localizar qual função é a mais difícil para a pessoa usar com sucesso.

Por exemplo, se você está indeciso quanto a considerar alguém tipo pensamento ou tipo sensação, porque é igualmente versado nas duas funções, descubra o que é mais irritante para

---

[3] Marie-Louise von Franz e James Hillman, *Jung's Typology* (Dallas, TX: Spring Publications, 1971). [*A Tipologia de Jung*. São Paulo: Cultrix, 2ª ed. 2016.]

essa pessoa – alguém que apresentar seus sentimentos a respeito de questões que deveriam ser desapaixonadas, ou alguém que chega colocando grandes teorias em pauta? Se a interpolação de sentimentos incomodar mais, essa pessoa é tipo pensamento. Se alguém com teorias majestosas atrapalha (sinal do intuitivo), essa pessoa é tipo sentimento.

Se ela não tiver certeza, peça-lhe para imaginar que está exausta. O que acontece se chega alguém com um problema envolvendo funcionários (sentimentos), ou com o pedido de uma revisão instantânea de determinado projeto (intuição)? O que a frustraria mais? Às vezes, ajuda personalizar a situação: faça com que a pessoa descreva alguém que considera realmente irritante. Quase que invariavelmente, ela falará de alguém que carrega a sua função inferior. Apresentarei mais elementos a esse respeito no capítulo seguinte, quando discutirei a figura arquetípica da Sombra.

Se tudo o mais falhar, os sonhos fornecerão a resposta com o tempo. A função inferior é em geral personificada a uma luz pouquíssimo lisonjeira nos sonhos. Por exemplo, nos primeiros estágios de uma análise junguiana, uma pessoa intuitiva sonhou que precisava ultrapassar criaturas meio humanas, sem teste de espécie alguma, e que estavam todas agachadas no chão, comendo como os animais, totalmente alheias à imundície à sua volta. Esse foi um sonho em que aparecia a versão onírica dos sujeitos tipo sensação, como só um intuitivo poderia vê-los.

O CAMINHO DA INDIVIDUAÇÃO

É fácil entender a finalidade de Jung quando ele desenvolveu sua teoria dos tipos psicológicos. Podemos considerá-los como uma tentativa da parte de Jung de nos enquadrar em pequenos compartimentos, negando nossa individualidade. Contudo, a ideia dele era exatamente inversa. Freud tinha um único caminho de desenvolvimento que todos deveriam supostamente seguir. Os que não o faziam eram neuróticos. Infelizmente, uma vez que Freud era extrovertido, seu caminho de desenvolvimento era um percurso extrovertido. Por exemplo, quando Jung analisou as características daqueles que Freud considerava "narcisistas", descobriu que alguns deles eram de fato imaturos e centrados exclusivamente em sua pessoa. Outros, no entanto, eram apenas seres introvertidos.

Jung entendeu depois que não podemos sequer começar a compreender o caminho de desenvolvimento próprio de cada um enquanto não reconhecermos que as pessoas de diferentes tipos psicológicos crescem e desenvolvem-se de maneiras variadas. Os introvertidos e os extrovertidos têm caminhos acentuadamente diferentes pela frente. Quando se acrescentam a isso as funções pensamento, sentimento, sensação e intuição, cada uma delas atuando em pessoas situadas em diferentes pontos de partida em suas vidas, seria notável se não viessem a ser seres muito diferentes uns dos outros, não por terem se desenvolvido de maneira própria ou imprópria, mas simplesmente porque desde seu nascimento eram pessoas inteiramente diferentes.

Isto é especialmente verdadeiro por causa de nossa função inferior. Com trabalho e coragem, podemos integrar nossas duas funções secundárias em nossa personalidade. Contudo, não é possível integrar por completo nossa função inferior porque ela nos vincula ao corpo todo do inconsciente coletivo. Sendo assim, tentar integrar a função inferior é como tentar engolir o oceano: simplesmente não pode ser feito.

Por exemplo, os intuitivos jamais serão capazes de integrar plenamente a sensação em sua personalidade. Sempre sentirão certo grau de desconforto quando tiverem que lidar com os "fatos" do mundo. A individuação para os intuitivos tem que ser muito, muito diferente da que ocorre para os introvertidos sensoriais (imagine programadores de computador). Bem, mas isso não significa que os intuitivos devam evitar por inteiro o contato direto com a sensação – muito pelo contrário. Para os intuitivos, a sensação pode ser a chave que abre a porta para todos os mistérios da vida. A sensação pode oferecer prazeres que sua intuição mais familiar não consegue proporcionar. Mas jamais chegarão a ter a facilidade sutil do tipo sensação para manejar essa função.

No entanto, em vez de apenas falar dos "intuitivos" e dos "sensoriais", precisamos falar mais das características dos tipos psicológicos. Comecemos com uma discussão mais extensa dos extrovertidos e dos introvertidos.

O TIPO EXTROVERTIDO

Já definimos o tipo extrovertido como a pessoa orientada para o exterior, em vez de para o interior, objetiva mais que subjetiva. Os extrovertidos são pessoas totalmente à vontade com o mundo à sua volta porque, para eles, esse é o único mundo que existe. Essa é tanto a força como a fraqueza dos extrovertidos. É extremamente difícil para eles chegar inclusive a tomar consciência de seu mundo interno. Quando estão quietos não é porque estejam conscientes de estarem pensando. Os introvertidos não conseguem imaginar não ouvir o diálogo interior contínuo. Os extrovertidos não percebem esse diálogo interno, praticamente o tempo todo, porque só escutam as informações que vêm do mundo externo.

Os extrovertidos nunca conseguem experimentar do mundo externo o suficiente para se sentirem satisfeitos. Gostam de uma realidade em constante mudança, repleta de cores, ruídos, ações, novidades. Ficam à vontade com pessoas e gostam de estar em companhia. É interessante observar que os extrovertidos têm muito menos probabilidade que os introvertidos de tomarem consciência de seus próprios corpos. Jung diz que o corpo em si "não está suficientemente do lado de fora" para que eles tomem consciência do mesmo. Tendem a se entregar a tarefas com tal intensidade que na maior parte das vezes ignoram suas necessidades corporais de descanso e alimentação. Quando são não só extrovertidos mas também intuitivos, podem ignorar a tal ponto as mensagens de seu corpo que este se vê forçado a falar por meio de doenças.

Os extrovertidos podem estar a tal ponto sintonizados no ambiente, tão conscientes das pessoas que encontram aí, que se tornam verdadeiros camaleões, mudando de cor para se ajustar a cada novo contexto. Os extrovertidos estão sempre "ligados", sempre prontos a desempenhar, seja qual for a situação social. Impelem tudo um pouco mais adiante, adicionando energia e mais emoção. Ouça a diferença que há no relato de uma pescaria feito por um extrovertido e por um introvertido. A história do extrovertido cresce, envolve, amplia. Se ocasionalmente a realidade fica relegada a segundo plano, ora, pior para ela. Os introvertidos estão muito cientes dessa característica dos extrovertidos de serem a alma da festa.

Contudo, é indispensável perceber que, por terem uma atitude consciente extrovertida, existe uma atitude introvertida compensatória no inconsciente. Os mais extrovertidos atiram-se em projetos e relacionamentos frenéticos no mundo externo, quanto mais se constela em seu inconsciente o movimento de recuo para formas mais calmas e reflexivas de ser. Marie-Louise von Franz comenta que "os extrovertidos, quando chegam ao seu outro lado, têm uma relação muito mais pura do que o introvertido com seu interior". Por outro lado, ela comenta que quando um introvertido é capaz de conectar-se com sua extroversão inferior, ele "pode difundir o lampejo de vida e torná-la [...] um festival simbólico, melhor do que qualquer extrovertido!".[4]

A título de exemplo de um caso deste último tipo, certa vez conheci um programador de computador que era brilhante (por isso, evidentemente, um introvertido). Ele nunca dizia duas palavras quando alguém normalmente o faria, e preferia nada dizer se isso fosse possível. No entanto, ninguém era mais engraçado quando havia uma comemoração como a festa de Natal no escritório. Ele simplesmente adorava essas ocasiões. Todo ano, na festa, ele colocava um ridículo gorrinho de Papai Noel e entregava os presentes de todo mundo. Seria o caso de pensar que ele ficaria envergonhado ao máximo com essas situações, pois, na sua vida cotidiana, toda demonstração de emoção era para ele anátema. Mas os eventos simbólicos libertavam-no de suas inibições e ele se tornava tão divertido que todos à sua volta também se sentiam livres.

O TIPO INTROVERTIDO

Os introvertidos são mais quietos que os extrovertidos. Muitas vezes, um jeito rápido de distinguir um tipo de outro é o mero volume de palavras usadas pelos extrovertidos. Os introvertidos preferem muito mais o familiar ao novo, gostam que as coisas fiquem como estão. Normalmente ficam mais confortáveis em

---

[4] Marie-Louise von Franz e James Hillman, *Jung's Typology*, p. 20.

sua própria companhia do que com outras pessoas. Nas situações em que encontram pessoas novas sentem-se perdidos e deslocados. Preferem fazer uma revisão das coisas em sua cabeça antes de realmente experimentarem-na no mundo externo.

Na nossa cultura extrovertida, os introvertidos têm em grande medida sido vistos com olhos pejorativos. É algo muito diferente do que ocorre numa cultura introvertida como a japonesa, em que a extroversão é recriminada. Tanto o modo introvertido como o extrovertido são adaptações normais e funcionais à vida. Como já disse antes, uma das coisas que primeiro impulsionou Jung a desenvolver seus conceitos de introversão e extroversão foi Freud ter condenado as personalidades narcisistas. Jung percebeu que esse rótulo ajustava-se a algumas pessoas que eram verdadeiramente narcisistas, mas também era aplicado injustamente a outras, apenas porque sua orientação psicodinâmica era interior, não exterior.

Aos extrovertidos, os introvertidos sempre vão parecer egoístas e absortos em seus próprios interesses, porque têm mais interesse pelo mundo interior que pelo exterior. Para os extrovertidos, é praticamente impossível imaginar como os introvertidos conseguem negar os "fatos" do mundo exterior. Os extrovertidos não têm sequer consciência de que esses fatos já foram coloridos por seus próprios processos inconscientes, interiores. Os introvertidos sempre estão conscientes de que tudo que sabem a respeito do mundo é como este se lhe apresenta em suas mentes.

Jung expressou de maneira sucinta a posição dos introvertidos: "O mundo existe não apenas em si, mas também como me parece!".[5] Classicamente, a batalha entre a extroversão e a introversão foi primeiro abordada de modo explícito pela filosofia. A versão filosófica da introversão é chamada de "posição idealista". Segundo a explicação de um filósofo britânico do século XVIII, o bispo George Berkeley, nós vivenciamos tão somente os pensamentos que nos atravessam a mente. Portanto, isso é tudo que podemos afirmar a respeito da realidade. Insistir que existe alguma coisa "lá fora" é absurdo. Tudo que sabemos é o que vivenciamos "aqui dentro".

Aproximadamente na mesma época, o filósofo escocês David Hume negou o mais básico dos preceitos da posição extrovertida, a saber, a causalidade. Apenas assumimos de maneira inquestionável que uma coisa causa outra. A totalidade da lógica aristotélica está fundada em silogismos (ou seja, A implica B e B implica C, portanto A implica C). Newton disse que, para toda ação, existe uma reação igual e contrária. Ou, em termos mais simples – todo efeito tem uma causa. Hume abalou a convicção do argumento da causalidade ao deslocá-lo para a mente. Digamos que uma bola de beisebol muda de direção quando se choca com o bastão por causa do choque. Hume insistiria que o máximo que podemos realmente afirmar é que a bola atinge o taco e que a

---

[5] Carl Jung, *The Collected Works*, vol. 6: *Psychological Types*, copyright © 1971 (Princeton: Princeton University Press), p. 621.

bola vai em direção oposta. Os dois eventos estiveram relacionados no tempo e no espaço na nossa percepção. Mas não há a necessidade lógica de provar que um causou o outro.

Por essa perspectiva, o subjetivo é o mundo real, o objetivo, não. Bem, um filósofo ainda mais importante, Immanuel Kant, apareceu no final do século XVIII e deu uma resposta que antecipava a própria perspectiva de Jung. Kant disse que havia um mundo externo objetivo, mas que só podemos experimentá-lo através do filtro fornecido pela nossa mente. Contamos com estruturas psíquicas inatas nas quais inserimos nossas percepções da realidade. Não podemos perceber a realidade, exceto por meio dessas estruturas. E, claro, já encontramos essas estruturas neste livro sob a denominação junguiana de arquétipos, e a minha proposta terminológica de invariante cognitivo. Kant achava que essa era uma limitação necessária da humanidade, pois nunca poderemos conhecer "das ding an sich" [a coisa em si].

Mas, na realidade, até mesmo a posição de Kant não enxergava muito longe. Como pode ser que os invariantes cognitivos por meio dos quais filtramos a realidade estejam tão admiravelmente bem ajustados à realidade? Não é que estejamos continuamente deparando com coisas que não vemos, ou queimando-nos com coisas que ao serem tocadas parecem frias. Não. Quando vivenciamos o mundo através dos invariantes cognitivos, parecemos ter um mapa preciso da realidade como a mente humana é capaz de perceber. Os mesmos invariantes cognitivos devem ser experimentados de modo muito diferente pelo peixe, que tem um ambiente inteiramente diferente e capacidades sensoriais muito diversas das humanas. Mas os invariantes cognitivos do mundo interior e os objetos do mundo exterior devem, de alguma forma, ser dois aspectos de uma mesma coisa.

Todos experimentamos o mundo externo através do mundo interior. Os extrovertidos ignoram o processo intermediário e agem como se estivessem experimentando o mundo externo diretamente. Os introvertidos centram-se no processo interior. Em virtude disso, os introvertidos são propensos ao solipsismo (a crença de que nada nem ninguém existe exceto a pessoa pensando esse pensamento).

Um amigo meu introvertido insistia comigo que, sendo ele quem percebe o mundo e, portanto, sendo ele quem chega a decisões a respeito do mundo, não existe mundo (para ele) a menos que ele esteja pensando a respeito. É difícil debater essa posição intelectual, mas o extrovertido nem se daria a esse trabalho porque nenhum extrovertido leva tão a sério o mundo interior. No imortal trabalho de Boswell, *Life of Johnson*, ele diz como Johnson (o extrovertido do extrovertido), quando confrontado com o argumento de Berkeley, deu um chute numa pedra que estava por perto e proclamou em tom solene: "É *assim* que eu refuto essa ideia".[6] Claro que ele não refutou ninguém porque era só na sua mente que ele recebia a sensação de chutar

---

6 Louis Kronenberger, org., *The Portable Johnson & Boswell* (Nova York: Viking Press, 1947), p. 125.

a pedra, só na mente daqueles à sua volta que o viram chutando a pedra. A diferença entre extrovertido e introvertido a respeito desses tópicos é emocional, não lógica.

O introvertido só está à vontade com o mundo externo quando tem um modelo interno disponível. Von Franz diz que Jung lhe contara algo sobre uma criança que não entrava num aposento enquanto não soubesse os nomes de todas as peças de mobiliário que lá estivessem.[7] Um introvertido certa vez me disse que o que mais o incomodava numa nova situação era que lá poderia estar alguém, ou ser-lhe apresentado algum novo conceito, que ele nunca tivesse visto antes e não soubesse como manejar. Um outro introvertido explicou que ele se sentia muito mais confortável depois de ter desenvolvido uma série de regras estritas para uso em situações sociais. Ele só fazia adaptações nesse conjunto de regras diante das mais exigentes necessidades.

Da mesma maneira como a função inferior de um extrovertido é introvertida e atrai o extrovertido para o mundo interior, a função inferior de um introvertido é extrovertida e o atrai para o mundo exterior. É importante que o introvertido realmente vivencie o mundo exterior, não se colocando por trás de uma cortina de experiências íntimas. *O Lobo da Estepe,* de Hermann Hesse, é um retrato clássico do introvertido arremessado no mundo sensorial das experiências. Nesse romance, um saxofonista serve de símbolo para a visão introvertida do

---

[7] Marie-Louise von Franz e James Hillman, *Jung's Typology*, p. 3.

extrovertido sensorial. Hoje poderíamos substituí-lo por um astro do rock.

Imagino que, a esta altura, o leitor já tenha uma noção melhor das duas atitudes opostas perante o mundo. O leitor deve ser capaz de dizer, com certo nível de segurança, se ele é introvertido ou extrovertido, e provavelmente já conseguirá identificar as atitudes de muitas outras pessoas importantes para ele.

No restante deste capítulo, passaremos para uma detalhada discussão das quatro funções – pensamento, sentimento, sensação e intuição. Por fim, falaremos a respeito dos oito tipos psicológicos que obtemos combinando as atitudes e as funções. Evidentemente, poderíamos ir além disso obtendo as dezesseis combinações entre a atitude, a função superior e a inferior, mas temos que parar em algum momento!

A FUNÇÃO PENSAMENTO

Os pensadores parecem pessoas frias a quem é do tipo sentimento. Abordam a vida sem paixão, com pouca consideração pelas emoções próprias e alheias. Apreciam a organização e a ordem e são excepcionalmente hábeis para dispor coisas segundo categorias lógicas. Em razão disso, são relativamente imunes a problemas emocionais que acontecem à sua volta. Conseguem fazer com que seu mundo ordenado vá adiante em meio ao caos.

Se a pessoa tipo pensamento também for extrovertida, sua vida será determinada por conclusões racionais (regras) baseadas em dados objetivos (fatos). Por isso, os pensadores extrovertidos dão excelentes executivos, até depararem com o elemento humano, que consideram secundário em relação à lógica. Von Franz observa que "esse tipo é capaz de ser encontrado na classe dos organizadores, dos funcionários de alto escalão nas sociedades civis e ocupações governamentais, no mundo dos negócios, das leis e entre os cientistas".[8]

Sua moralidade é determinada por um conjunto estrito de regras e as pessoas deveriam conformar-se a ele. Por causa disso, encontramos muitos reformadores entre os pensadores extrovertidos. São indivíduos dotados de um código inabalável acerca do que é certo ou errado e que vão implantá-lo por bem ou por mal. Infelizmente, os códigos lógicos são propensos a uma apresentação em termos de preto ou branco sem gradações de cinza, por isso há pouco espaço para a falibilidade humana nesses códigos morais. Mais que qualquer outro tipo, os pensadores extrovertidos tendem a endossar a máxima segundo a qual o fim justifica os meios. Como exemplo, veja-se o expressivo contingente de pensadores extrovertidos que formava os quadros iniciais do Partido Comunista.

A função inferior do pensador extrovertido não só é introvertida como, em especial, é uma função sentimento introvertida. Portanto, quando esse sujeito sente alguma coisa, é provável que sejam emoções muito ternas. Infelizmente, é improvável que

---

[8] Marie-Louise von Franz e James Hillman, *Jung's Typology*, p. 38.

exponha esses sentimentos porque deverá estar muito ocupado com sua carreira, o que porém não torna seus sentimentos menos intensos. Esta é a razão pela qual os pensadores extrovertidos dão amigos tão leais. Seus sentimentos podem estar enterrados mas são profundos e duradouros. Embora sejam perfeitamente dispostos a ir de uma ideia para outra, têm uma relutância muito maior quando se trata de mudar de lealdade emocional.

Se o pensador é do tipo introvertido, orienta-se não tanto para os fatos, mas mais para as ideias. Se os fatos não se ajustam à teoria, pior para os fatos. Essa é uma posição poderosa e por isso é que tantos sujeitos que com suas ideias mudaram o mundo foram pensadores introvertidos. Mas essa é também uma perigosa posição solipsista, em que há pouca averiguação da realidade em andamento. Uma vez que o pensador introvertido está recorrendo a alguma ideia arquetípica, ela é necessariamente verdadeira, num nível muito amplo, embora nem sempre no nível humano. É muito difícil para o pensador introvertido até mesmo entender o que significa "verdadeiro no nível humano".

Jung contrastou Darwin e Kant, como exemplos respectivos do pensador extrovertido e introvertido. Darwin coletava fatos a respeito da realidade física e o fez durante décadas, antes de publicar *A Origem das Espécies*. Defende suas hipóteses por meio de uma sucessão de ilustrações. Kant, por outro lado, expôs todo o seu conhecimento como lastro para sua argumentação em *Crítica da Razão Pura*.

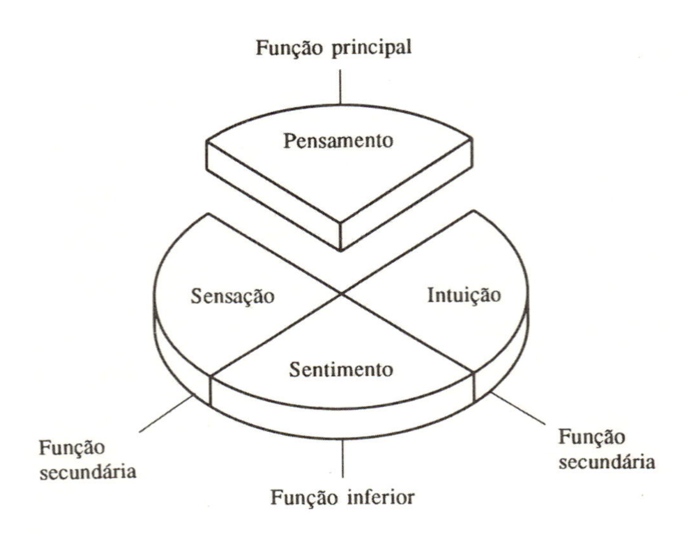

Figura 5. Tipo pensamento. Se sua função psicológica primária é o pensamento, você também desenvolverá no mínimo uma das funções secundárias – a sensação ou a intuição. Contudo, é impossível desenvolver plenamente a função inferior (sentir), que é seu canal de acesso para todas as riquezas do inconsciente coletivo.

O epítome do pensador introvertido é o proverbial professor distraído. O pensador introvertido pode ser tão desprovido de senso prático e tão incapaz de se adaptar ao mundo que se torna presa fácil dos exploradores. Isso é especialmente verdadeiro se ele for um homem e estiver numa relação com uma mulher mundana. Alguns pensadores introvertidos dizem que sempre se sentiram como estranhos no mundo. Homens desse tipo muitas vezes têm sonhos nos quais as figuras femininas os devoram. Frequentemente, pensadores introvertidos bem-sucedidos contam com pessoas que se incumbem por eles de todos os seus afazeres mundanos.

Sua função sentimento inferior não é capaz de apreciar as nuanças do julgamento. As coisas são sim ou não, frias ou quentes, boas ou más. Porque seus sentimentos estão imersos no inconsciente, têm um movimento muito lento, quase que glacial. Mas atenção quando irrompem! A reação de quem está por perto costuma ser mais ou menos assim: "Mas de onde veio tudo isso?".

A FUNÇÃO SENTIMENTO

Da mesma forma como os valores introvertidos têm sido criticados por nossa cultura extrovertida, o sentimento e a intuição têm sido considerados inferiores ao pensamento e à sensação. A cultura ocidental tem sido majoritariamente masculina, e o pensamento e a sensação têm se mostrado as funções masculinas predominantes. Isso não significa que não existam mulheres que pensem e sintam muito bem aliás, ou que não existam homens em contato com seus sentimentos e intuições. Mas para a maior parte das culturas (e sem dúvida na ocidental), os homens e as mulheres têm tradicionalmente aceito papéis especializados que vêm incentivando as mulheres a desenvolver um sentimento e uma intuição mais diferenciados, e os homens, pensamento e sensação mais elaborados.

Um xamã meio Cherokee, meio irlandês que um dia me foi apresentado disse que a primeira lei do universo era que "tudo nasce da mulher". As mulheres carregam, nutrem e criam as crianças que são o futuro. Tradicionalmente, os homens têm sido meros apêndices desse processo primário da evolução humana. Ao longo de toda a história, a maioria das mulheres tem concentrado sua energia no desempenho desse papel primário e com isso desenvolveram as funções psicológicas de que precisam para levá-lo adequadamente a cabo.

Sem dúvida, primeiro necessitam escolher um parceiro adequado. Em parte, as mulheres têm usado as técnicas tradicionais da evolução, empregadas por todos os animais: 1) tornam-se atraentes para que todos os machos as desejem;[9] 2) forçam os homens a competir por elas, para assim escolher o macho dominante para seu par. Contudo, numa medida maior que todos os outros animais, os homens e as mulheres também aprenderam a amar um ao outro. Em contraste com a maioria dos outros animais, as crianças humanas são em grande extensão dependentes, e por muitos mais anos. Precisam de alguém que as alimente, vista, ensine, proteja etc. As mulheres têm se desincumbido de quase todas essas responsabilidades perante os filhos, embora hajam precisado da ajuda dos homens nesse sentido.

Como nossos parentes próximos – macacos e símios –, os primeiros seres humanos resolveram esse problema formando tribos que ofereciam alimento, abrigo e proteção para todos, especialmente para as crianças. A estrutura tribal foi gradualmente desenvolvendo-se até se tornar a estrutura familiar. Nas

---

[9] No reino animal, os machos costumam ser os que tentam tornar-se atraentes às fêmeas, prova de que atributos de sexo não são necessariamente fixos.

culturas antigas (como as culturas tribais contemporâneas atestam), as famílias eram frequentemente polígamas: múltiplas esposas para os homens dominantes melhoravam o estoque genético. Essas primeiras famílias ainda eram quase como pequenas tribos, com várias gerações de uma família vivendo junto. Com o tempo, a unidade familiar foi se tornando menor até vir a constituir-se apenas de marido, esposa e filhos. Atualmente, o conceito de família tornou-se incrivelmente variado como se estivesse tentando redefinir-se. O divórcio, por um lado, criou a família com um só genitor; por outro, numa disposição algo mais próxima da tribal, famílias em que as crianças têm múltiplos conjuntos de pais e mães, relacionados das maneiras as mais complexas. Contudo, em virtualmente todas essas variações sobre o mesmo tema, a mãe ainda funciona como o centro da família.

Em razão de seu papel primário como mães, as mulheres precisaram desenvolver uma função sentimento altamente sofisticada. Por exemplo, está claro que a família funciona melhor como uma só unidade harmoniosa do que como uma coleção de indivíduos. Para manter essa harmonia, a mãe tem que ser capaz de avaliar quando a unidade está funcionando com harmonia e quando não está. Depois, ela tem que ser capaz de interagir com cada membro da família individualmente, de uma maneira que assegure a harmonia. Tanto essa avaliação como essa interação requerem a sutileza dos sentimentos – e a função pensamento não é capaz de lidar de modo satisfatório com essa complexidade.

Embora o argumento acima exposto seja decerto em grande parte verdadeiro, dificilmente será tudo o que existe, O amor, seja o que existe entre mãe e filho, ou entre marido e mulher, não pode ser reduzido a um quadro assim tão clínico. E todo aquele que já tenha um dia observado os animais, por um período de tempo longo o bastante, sabe que os humanos não detêm o monopólio do amor. No entanto, entre estes o amor é sem dúvida mais complexo do que em qualquer outra espécie.

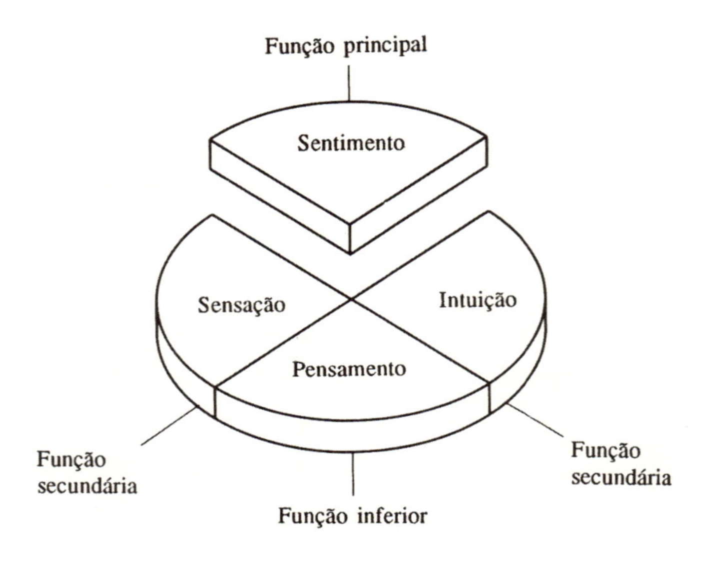

Figura 6. Tipo sentimento. Se sua função psicológica principal é o sentimento, você também desenvolverá pelo menos um das funções secundárias – a sensação ou intuição. Contudo, é impossível desenvolver completamente a função inferior (sentimento), que é seu canal de acesso às riquezas do inconsciente coletivo.

Talvez o estudo longitudinal mais prolongado do desenvolvimento adulto tenha sido o Estudo Grant que, em 1937, selecionou alguns homens que "tinham obtido boa colocação acadêmica numa faculdade de humanidades altamente competitiva" (Harvard, na realidade). Foram compiladas extensas biografias e foram aplicados testes psicológicos no início da pesquisa e ao longo dos 35 anos em que ela foi mantida! Claro que uma pesquisa longitudinal tão extensa descobriria muitas coisas que não se podem levantar com pesquisas transversais de curto prazo. George E. Vallant resumiu as conclusões do estudo em seu livro *Adaptation to Life*.[10] É uma felicidade que Vallant tenha a capacidade de expressar complexas questões psicológicas em termos humanos simples.

Ele diz por exemplo: "Acredito que a capacidade de amar seja uma habilidade que existe ao longo de um *continuum* [...] A capacidade de amar é mais como uma aptidão musical ou de inteligência". Ele conclui que "provavelmente não houve nenhuma variável longitudinal individual que predissesse a saúde mental com tanta nitidez quanto a capacidade do homem em permanecer num casamento feliz e prolongado" e "não é que o divórcio seja doentio ou ruim, é que amar as pessoas por longos períodos é melhor".[11]

---

[10] George E. Vallant, *Adaptation to Life: How the Best and the Brightest Came of Age* (Boston: Little, Brown & Company, 1977).

[11] George E. Vallant, *Adaptation to Life,* pp. 306-7, 320, 359.

Por isso, não nos apressemos tanto em desqualificar o sentimento como algo inferior ao pensamento, em especial não a função de avaliação altamente diferenciada que Jung tinha em mente quando usava o termo *sentimento*.

Em "The Feeling Function", James Hillman resume a posição de Jung quando diz que "a função sentimento é aquele processo psicológico em nós que avalia".[12] Podemos adquirir informações a respeito do mundo, ou por meio de nossos sentidos ou da intuição. O pensamento pode nos dizer o que as informações significam, mas não pode nos dizer o que tem valor, qual é a sua relevância. Para isso são necessários os sentimentos. Não é por coincidência que nossa cultura, que sobrevaloriza o pensamento e a sensação, deve estar se afogando em dados mas carece de habilidade para discriminar o que tem importância em meio ao mar de informações. Nosso governo fica cada vez maior e, não obstante, é incapaz de estipular prioridades com base em qualquer outra ordem que não o balanço comercial. Novos desafios são enfrentados com respostas antigas porque não conseguimos avaliar quais problemas e quais respostas são significativos. O sentimento é um processo tão racional quanto o pensamento, e precisamos dele desesperadamente, neste ponto de nossa sociedade.

As pessoas do tipo sentimento refestelam-se com recordações; compreendem o presente quando o comparam com lembranças do passado. A grande detetive de Agatha Christie, srta.

---

[12] Marie-Louise von Franz e James Hillman, *Jung's Typology,* p. 90.

Marple, é um exemplo perfeito: ela soluciona os assassinatos mais intrincados observando similaridades entre a situação presente e pequenos incidentes da vida da cidadezinha onde mora. A maioria dos homens com quem lida considera ridículas suas comparações, mas, apesar disso, é sempre a srta. Marple quem enxerga a verdade emocional oculta na confusão que cerca os assassinos.

O sujeito tipo pensamento jamais poderia fazer isso porque os pensadores lidam com categorias bem mais definidas. O tipo sentimento é capaz de se haver com a indistinção afetiva da vida. É por isso que o pensamento não é adequado para determinar o valor de alguma coisa. Sempre existem infinitas gradações de valor, e só o sentimento pode se ajustar com maleabilidade à ausência de definição.

O tipo sentimento extrovertido é a "alma da festa". É uma pessoa que se sente totalmente à vontade nas situações sociais e não só se ajusta bem com praticamente qualquer um, como sua mera presença faz com que todos se sintam confortáveis. Às vezes, porém, podem ser excessivamente cordatos, dispostos demais a dizer o que você deseja ouvir, em lugar de expressar aquilo em que realmente creem. Na verdade, podem até mesmo chegar a acreditar que é verdade aquilo que estão lhe dizendo – pelo menos enquanto dura essa conversa.

Para ilustrar esse ponto, cito o caso de um paciente que costumava se queixar de que seu chefe nunca conseguira sustentar uma decisão por tempo suficiente. Ele entrava no escritório do patrão e chegava a um acordo a respeito de alguma coisa. Dez minutos depois, uma outra pessoa entrava e conseguia fazer o patrão concordar com exatamente o oposto. Seu modo favorito de lidar com qualquer solicitação de decisão era o "veto de algibeira": ele esperava que as coisas sempre dessem certo por si, se deixadas soltas.

Quando se orientam para o extremo oposto, os sujeitos tipo sentimento extrovertido podem ser os mais bombásticos de todos. É típico que só estejam plenamente vivos quando se encontram cercados por outros. Estão continuamente sugerindo coisas para serem feitas, lugares para serem visitados. Quando tentam pensar, os tipos sentimento caem em sua função inferior, com sua ligação com o inconsciente. Em vez de se forçar a pensar bastante, o mais provável é que adotem um sistema de pensamento "por atacado". Suas ideias próprias tendem a ser primitivas: usam um ou dois pensamentos vezes e vezes seguidas.

O tipo sentimento introvertido é menos comum em nossa cultura e mais difícil de compreender. Uma vez que seu sentimento é introvertido não têm como expressá-lo, exceto a amigos de confiança e familiares, e muitas vezes nem mesmo a estes. Jung dizia que em geral encontrava esse tipo apenas em mulheres. Também conheci alguns homossexuais com seu sentimento introvertido. Essas pessoas guardam seus poderosos sentimentos para si mesmas. São as menos comunicativas de todas porque não têm uma função pensamento desenvolvida e porque a vivência que têm de seus sentimentos é tão pessoal que não conseguem transmiti-la aos outros. Jung dizia que a expressão "as águas paradas são as mais fundas" deve ter sido cunhada para descrever essas pessoas.

Embora a face que apresentam ao mundo possa ser "infantil ou banal", e às vezes lamurienta, os sentimentos que se agitam por baixo da superfície podem ter profundidade. O tipo sentimento introvertido é provavelmente a consciência do mundo. Por esse motivo, Von Franz disse que "muitas vezes são aqueles que compõem o eixo ético de um grupo".[13] Muito embora sejam calados, os outros observam suas reações e prestam atenção em seus julgamentos, mesmo que não sejam expressos em alto e bom som.

A FUNÇÃO SENSAÇÃO

Usamos nossos órgãos dos sentidos para obter os "dados" do mundo físico, pelo menos os dados acessíveis aos humanos, dotados dessa combinação ímpar de capacidades sensoriais. Assim que os adquirimos, processamos esses dados com o pensamento ou com o sentimento. Tão logo tenhamos processado os dados, nosso cérebro extrapola o que espera que venha a acontecer a partir das informações já reunidas. Formula um plano de ação e o remete de volta ao corpo, com um "quadro" do que foi extrapolado.

O corpo então põe esse plano em ação, a menos que as informações que vêm dos sentidos contradigam o quadro extrapolado

---

13 Marie-Louise von Franz e James Hillman, *Jung's Typology*, p. 48.

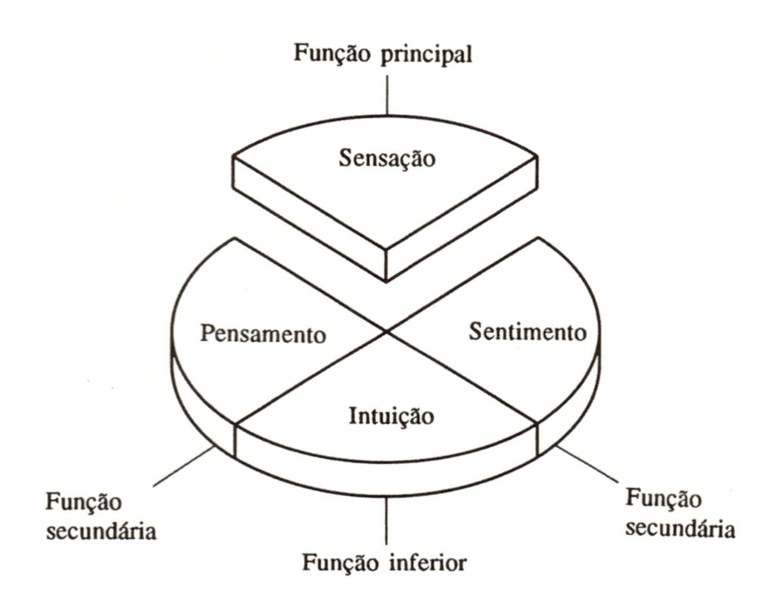

Figura 7. Tipo sensação. Se sua função psicológica principal é a sensação, você também desenvolverá pelo menos uma das funções secundárias – o pensamento ou o sentimento. Contudo, é impossível desenvolver completamente a função inferior (intuição), que é seu canal de acesso ao tesouro do inconsciente coletivo.

pelo cérebro. A maior parte do tempo, nossos órgãos dos sentidos meramente confirmam a projeção do cérebro. Podemos pensar nas sensações como um processo ativo de ir em busca de algo que o cérebro empreende, em vez de uma recepção passiva de informações de ordem física. Os próprios órgãos dos sentidos esperam continuar do mesmo jeito que até então estiveram, mas precisam ser adaptáveis o suficiente para ajustar-se quando novas informações chegarem.

O tipo sensação extrovertido espelha perfeitamente essas características. É o tipo acabado do realista que aceita o mundo tal qual ele é e ajusta-se calmamente a ele quando suas expectativas não são refletidas pela experiência. Como dizia Jung: "Nenhum outro tipo humano pode igualar o tipo sensação extrovertido quanto ao realismo".[14] No seu *Know Your Type*, Ralph Metzner sugere que existem duas maneiras de a natureza efetuar essa adaptação à realidade externa e, portanto, duas variedades de tipo sensorial extrovertido: o sensível e o sensual.[15] No entanto, quando o sensorial extrovertido está funcionando em seu nível mais elevado, fez a ligação entre essas duas possibilidades. O sensível e o sensual unem-se no plano da estética.

Lembro-me de ter passado uma tarde com um cientista encantador que era o epítome da sensação extrovertida. Sua casa era absolutamente maravilhosa e ele havia construído pessoalmente cada parte dela. Ele e o filho tinham cortado a madeira, cavado o poço, assentado os alicerces. Ele parecia ter pensado em todos os detalhes. Por exemplo, uma vez que da sala de estar tinha-se uma vista linda, ele havia instalado pequenos suportes em madeira para binóculos, localizados numa posição em que lhe bastava estender o braço e lá eles estariam. Não só todas as funções normais de uma casa tinham sido previstas, como ela ainda era repleta de dispositivos práticos únicos, projetados por ele.

---

14 Carl Jung, *The Collected Works*, vol. 6, p. 606.

15 Ralph Metzner, *Know Your Type* (Nova York: Anchor, 1979), p. 66.

Por exemplo, não havia espaço para quadros na biblioteca porque ele tinha apenas prateleiras com livros, do teto ao chão. E gostava de arte. Por isso, instalou vários quadros em trilhos que se encaixavam nas prateleiras. Se ele precisava de um livro localizado por trás de um quadro, ele simplesmente deslizava-o pela moldura para um novo local.

Na qualidade de realistas irretocáveis, os sujeitos tipo sensação extrovertida costumam considerar toda espécie de intuição como insensatez. Von Franz diz que eles podem até chegar ao ponto de repudiar o pensamento, pois até pensar interfere com a pura percepção dos fatos físicos da realidade. A maioria aprecia debater em voz alta com interlocutores sobre uma questão para chegar a algum ponto, mas depois ficam cansados e encaminham a discussão de volta para os dados físicos, dos quais nunca se cansam.

Uma vez que sua função inferior (intuição introvertida) vincula-os ao inconsciente, eles são propensos a adotar sem questionamento qualquer sistema religioso, filosófico ou místico que aconteça de estar na moda, seja a teosofia, a Cientologia ou a EST. Um grande número de pessoas desse tipo sensação extrovertido se sente atraído pela psicologia junguiana por esse motivo. Aprendem umas noções superficiais da conceituação de Jung e depois se aferram às possibilidades místicas dos arquétipos. Uma vez que os invariantes cognitivos são, de fato, os portões de acesso às introvisões místicas, eles constituem às vezes a escolha perfeita para essas pessoas. O mais comum é que sejam tragadas pelo inconsciente coletivo e nunca consigam aplicar suas experiências pessoais à vida que levam no plano externo.

A esposa de Jung, Emma, era um tipo sensação introvertido. Certa vez ela descreveu uma pessoa assim como "alguém que parece uma chapa fotográfica de alta sensibilidade". Esse tipo registra tudo o que é físico na mente – a cor, o formato, a textura, todos os detalhes em que mais ninguém consegue reparar. Uma vez que toda a energia está dirigida para a absorção do meio circundante, esse tipo pode parecer tão inanimado como uma cadeira ou uma mesa ao observador eventual.

Quando trabalhei como terapeuta em treinamento num lar transitório para pacientes profundamente comprometidos, tinha um bom amigo que era um tipo sensação introvertido. Nunca esquecerei o dia em que vários de nós estávamos sentados no escritório do supervisor quando um paciente irrompeu sala adentro. Estava berrando em seu delírio. Agarrou uma cadeira e acabou com ela, atirando-a contra a parede. Todos ficamos com medo pois sabíamos o que pode acontecer quando o paciente perde o controle.

Meu amigo limitou-se a continuar sentado em silêncio, sem sequer olhar para o paciente. Enquanto este continuava gritando e agitando outra cadeira no ar, meu amigo olhou para ele com delicadeza. Aos poucos, ele começou a parecer desorientado; segurava a cadeira como se não soubesse mais por que estava com ela nas mãos. O paciente esbravejava agora mais devagar e os repentes começaram a espaçar e ser menos estridentes. Meu amigo continuava sentado, em silêncio, parecendo absorver toda a energia que havia na sala. Uns poucos minutos depois, o paciente deixou cair a cadeira e permaneceu em pé absolutamente esgotado. Então consegui me aproximar dele, pôr meus braços em volta de seus ombros e conduzi-lo para fora da sala. Meu amigo não tinha mexido um músculo durante o episódio inteiro. Eis uma pessoa do tipo sensação introvertido em seus melhores momentos!

Já conheci um grande número de indivíduos do tipo sensação introvertido que trabalham como programadores de computador e, por alguns anos, trabalhei com eles. Gostam das coisas precisas: todos os detalhes são importantes. Não se pergunta a esse tipo sensação introvertido qual é o "quadro geral", pois eles não têm a menor ideia de como superar o nível dos detalhes de seu trabalho e enxergar o contexto maior. Essa dimensão atinge sua intuição, a função inferior em seu caso, e em geral deixa-os muito incomodados. Não obstante, é por intermédio dessa intuição que podem encontrar um caminho até sua criatividade.

Quero relatar outra história acerca de um programador de computadores, a quem chamarei Ted. Um dia, o gerente de seu departamento descobriu que outro programador tinha um "vírus" no programa que fizera com que este falhasse e produzisse um "dump" no computador (sai impresso o estado do computador quando o programa falha). O programador tinha gasto já dois dias analisando o "dump" tentando inutilmente desvendar o problema. O gerente levou o programa até Ted para perguntar se ele conseguia ajudar na resolução daquele impasse. Depois de explicar a situação, Ted limitou-se a "rosnar" dizendo que tinha entendido. Rapidamente estendeu as folhas todas, deteve-se numa página, correu o dedo pelos dados, parou num determinado ponto e disse, "aí". Aquela era a resolução do problema.

No entanto, o mesmo programador era um sujeito tão isolado de tudo o mais, à exceção dos detalhes que ele tanto amava, que se tornou delirante. Quando ficava frustrado, começava a discutir com uma mulher imaginária. Depois saía pisando duro, frustrado com as tolices dela. Estou seguro de que ela era uma representação de sua função inferior tentando falar com ele. Infelizmente, ele não conseguia suportar escutá-la. Embora poucas pessoas estejam tão distantes de seu mundo interior quanto este sujeito, a ponto de personificá-lo dramaticamente como uma pessoa imaginária, ninguém se sente à vontade com sua função inferior.

A FUNÇÃO INTUITIVA

Quando as pessoas veem os tipos psicológicos de Jung pela primeira vez, costuma ser a intuição que as deixa perplexas. Elas entendem o que é o pensamento, a sensação, o sentimento, mas a intuição parece uma escolha estranha para se pôr ao lado das outras três.

Os intuitivos têm muito pouco interesse pela coisa em si, seja ela um objeto, uma pessoa, uma imagem de sonho etc. O que os interessa são as possibilidades futuras. Têm faro para o que virá a acontecer e em geral conseguem farejar novas tendências antes que se tornem evidentes para as demais pessoas. Quando estas enxergam as diferenças, os intuitivos constatam as similaridades. Os intuitivos veem as relações entre dois conjuntos de fatos aparentemente disparatados, algo que mais ninguém conseguiria detectar.

Os intuitivos não têm interesse pelo passado, por exemplo, por saber por que as coisas aconteceram. Quanto a isso, não têm nem muito interesse pelo presente – pelo que está acontecendo

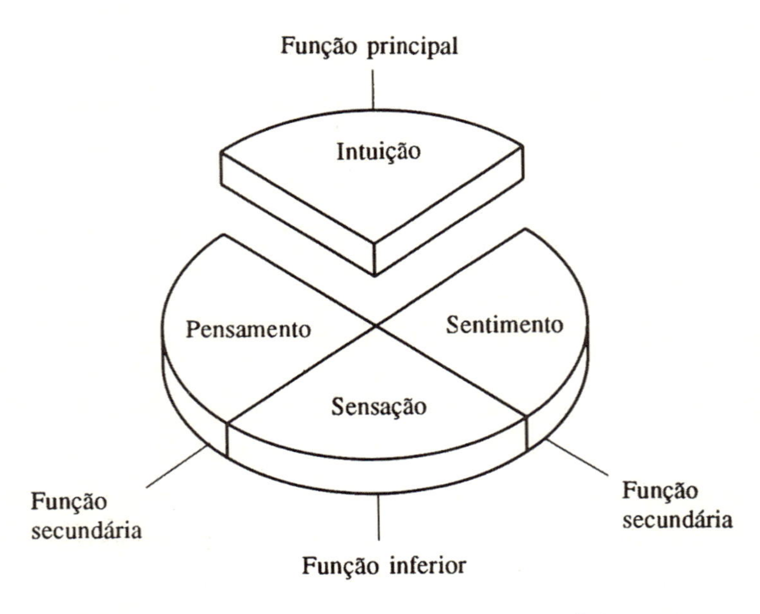

Figura 8. Tipo intuitivo. Se sua função psicológica principal é a intuição, você também desenvolverá pelo menos uma das funções secundárias – o pensamento ou o sentimento. Contudo, é impossível desenvolver completamente a função inferior (sensação), que é seu canal de acesso ao tesouro do inconsciente coletivo.

agora. Só se importam com o que está por acontecer. Sua grande alegria é conceber novas possibilidades. Assim que engendram essa concepção, têm pouco ou nenhum interesse pela sua implantação concreta no mundo.

Quando o intuitivo é extrovertido, ele pode ser o mais vanguardista de todos. Estão sempre na crista da onda, sempre em destaque. Se puderem desenvolver uma função secundária como o sentimento ou o pensamento, têm então condições de desacelerar o suficiente para usar essas informações a respeito do futuro que encontram sempre à sua disposição. Se não desenvolvem a função secundária, tornam-se "borboletas", saltitando de uma coisa para outra, sem jamais colher os frutos de nenhuma delas.

O intuitivo introvertido enxerga as possibilidades futuras, não no mundo exterior, mas no mundo interior. Ele é o modelo arquetípico do profeta do Velho Testamento, do místico de todas as idades e culturas. Certos tipos de poetas e artistas são intuitivos introvertidos – pessoas mais interessadas na visão que têm em seu íntimo do que nos detalhes de como a captam fora. O grande poeta e artista do século XVIII, William Blake, é o exemplo perfeito de um intuitivo introvertido bem equilibrado.

Todos os intuitivos são propensos a cair nas armadilhas da sensação, sua função inferior. Lidam muito mal com as necessidades materiais do mundo – dinheiro, sexo, alimentação etc. Os intuitivos extrovertidos são propensos a gastar dinheiro como se ele estivesse saindo de moda porque para eles a moeda nada significa. Os intuitivos introvertidos são igualmente capazes até de esquecer que existe a necessidade de ganhar dinheiro. Em geral, os intuitivos são mais interessados nas possibilidades sexuais do que no ato em si, que costuma ser entediante para eles.

OS TIPOS PSICOLÓGICOS COMO CAMINHOS DE DESENVOLVIMENTO

O conceito junguiano de tipos psicológicos é o ponto de partida para todo o resto das ideias de Jung. Este livro trata do inconsciente coletivo, mas a grande contribuição de Jung foi ter compreendido e transmitido que o inconsciente coletivo está em cada um de nós. Boa parte da nossa vida é estruturada pelos símbolos arquetípicos, que são as unidades de organização do inconsciente coletivo. Os arquétipos, porém, só se tornam manifestos na nossa vida por meio do processo de individuação. E o caminho da individuação é determinado, em grande medida, pelo tipo de pessoa que somos.

Isso não quer dizer que todos os pensadores introvertidos, ou todos os indivíduos extrovertidos do tipo sensação, caminhem do mesmo modo pela sua trajetória de individuação. Na realidade, existem tantos caminhos de desenvolvimento quantos há seres humanos. Mas, por exemplo, para todas as pessoas introvertidas do tipo sentimento seu crescimento interior acontece dentro de certos limites que, para elas, são únicos. Todas precisam, enfim, encontrar um jeito de se haver com sua função inferior – o pensamento –, uma vez que essa é o seu canal de acesso para o inconsciente coletivo. Quer dizer, esse processo é verdadeiro não apenas para essas pessoas, mas também para todas. Todos temos que encontrar nosso caminho na vida. Ajuda se uma parte desse caminho de desenvolvimento for partilhado por outras pessoas como nós. Isso nos proporciona pelo menos um mapa parcial do território que planejamos visitar durante a nossa vida. Isso é especialmente importante na medida em que nos permite ficar à vontade com nós mesmos para aceitarmos que não temos que nos conformar com o caminho que uma outra pessoa pensa que devemos seguir.

Nos próximos capítulos, vamos nos deslocar pelo caminho da individuação em si, usando o modelo de Jung para os arquétipos do desenvolvimento – Sombra, Anima/Animus e Self. Comecemos pela Sombra.

Capítulo 5

A SOMBRA

[...] os objetivos da segunda metade da vida são diferentes dos da primeira.

CARL JUNG

Essencialmente, a psicologia junguiana do processo da individuação trata da segunda metade da vida. Segundo Jung, passamos a primeira metade da nossa existência desenvolvendo um ego saudável para podermos funcionar de maneira satisfatória no mundo exterior. Depois de realizada essa tarefa (e só se ela tiver sido concluída de maneira satisfatória), a segunda metade envolve um afastar-se do mundo para encontrarmos o nosso eu mais profundo. A individuação requer que vençamos ambos os estágios com sucesso. Enquanto não conseguirmos lidar adequadamente com o mundo, não podemos esperar encontrar um lado espiritual mais profundo na nossa personalidade. (Quantos de nós não conhecem pessoas doentiamente *boas* porque têm medo de lidar com sua vontade de serem más?)

Jung elaborou esse modelo da psique por meio de investigações que conduziu em si mesmo e em seus pacientes. Como terapeuta ativo, boa parte de seu trabalho incidia sobre questões não resolvidas, residuais da primeira metade da vida, em geral envolvendo pendências na ligação pais/filho. Lembremo-nos do aspecto que ressaltamos com o exemplo de Konrad Lorenz e o filhote de ganso: por baixo de nossa relação particular com nossa mãe e nosso pai, estão os relacionamentos arquetípicos entre mães, pais e seus filhos. Portanto, um grande trecho da prática da terapia junguiana trata dessas questões da primeira metade da vida. Apesar disso, a psicologia junguiana lida predominantemente com a segunda metade, com o lado mais profundo do processo de individuação.[1]

---

[1] Como os freudianos, os junguianos falam da terapia como *análise*. No caso da análise junguiana, este é um termo singularmente inepto. Literalmente, análise é um processo que fragmenta algo em seus componentes para lidar com cada um deles em separado. A terapia junguiana, na realidade, implica fragmentar problemas em questões menores para esclarecê-los, sintetizando-os depois em novos blocos. A terapia junguiana implica também não só o entendimento racional, mas também a vivência emocional. Eu poderia prosseguir bastante mais com essa argumentação, mas, repito, *análise* não é um termo muito preciso. Da mesma forma, à guisa de comparação com o termo

Lidar com a Sombra, a Anima/Animus e o Self são todas questões da segunda metade da vida. Enquanto a nossa vida é essencialmente inconsciente, não há oposição entre consciente e inconsciente. Aos poucos vamos configurando e destacando a nossa personalidade consciente a partir do inconsciente, valendo--nos para tanto de nossos confrontos com o mundo à nossa volta, em especial dos confrontos com pais, irmãos e entes de especial importância afetiva.

Quem somos é determinado em grande medida por quem não somos. Se somos introvertidos, não somos extrovertidos. Se abordamos o mundo por meio do pensamento, não o abordamos por meio do sentimento. Contudo, como vimos quando tratamos dos tipos psicológicos, temos o potencial para ampliar nossas personalidades a fim de incluirmos outras maneiras de abordar o mundo. Embora comecemos a vida como pessoas extrovertidas do tipo sentimento, vamos supor, interessadas apenas nas relações emocionais com outras pessoas e com as coisas, podemos sem dúvida desenvolver tanto a sensação como a intuição para assim alimentarmos nossa função sentimento. Aliás, se trabalharmos bastante nisso, poderemos desenvolver uma sensação e uma intuição tão discriminadas que seria difícil para um indivíduo tipo sensação ou intuição nos propor algo mais bem trabalhado que o nosso desempenho. Podemos até aprender a nos sentir à

---

psicanálise de Freud, Jung chamou sua psicologia de analítica. Novamente, um termo inadequado, mas que dificilmente se modificará.

vontade em situações introversivas, para não precisarmos recorrer sempre e exclusivamente ao mundo externo.

Contudo, no caso da função inferior (sentimento, para o tipo pensamento; sensação, para o intuitivo), jamais conseguiremos desenvolver por completo esse outro lado, pois ele é nossa ligação com o inconsciente coletivo e este é grande demais para qualquer pessoa engolir. Mas essa é uma oportunidade, não uma responsabilidade. Sempre que fazemos um esforço para melhorar nossa função inferior, somos recompensados com um vislumbre do numinoso.

TIPOS PSICOLÓGICOS E INDIVIDUAÇÃO

Vamos presumir que os tipos psicológicos que viemos discutindo são inatos ou "se imprimem" em nossa vida quando ainda somos muito jovens, ou, pelo menos, se desenvolvem ainda muito cedo, caso não sejam inatos. Ou seja, desde o comecinho da vida somos repartidos em introvertidos e extrovertidos, entre pensamento e sentimento, entre sensação e intuição.

Eis-nos, portanto, ainda em tenra idade (se não ao nascermos) com uma grande porção da nossa personalidade já estipulada, pronta para se expressar na vida que estamos começando a viver. Como expliquei ao expor a função inferior, gostamos de fazer as coisas nas quais somos peritos e tentamos evitar aquelas em que não nos saímos tão bem. Desenvolvemos conscientemente certas habilidades enquanto outros talentos subdesenvolvidos refluem para o inconsciente.

Claro que nem tudo vai ser fácil na vida. Considere-se a garotinha que nasceu com uma aptidão mecânica inata, ou o menininho que tem uma empatia natural pelos sentimentos das pessoas (tipos sensação e sentimento, respectivamente). Os pais da menina podem achar que aptidões mecânicas numa garota não são algo "feminino", e por isso desestimulam-nas. Os do menino podem ter ficado igualmente infelizes com o filho terno e afetivo, e não duro e agressivo. Quando somos crianças, nossos pais são como deuses para nós, e tudo o que dizem é. E se eles dizem que devemos ser outra coisa que não aquilo de que a natureza nos dotou para ser, provavelmente tentaremos mudar nossa pessoa até corresponder o mais possível àquilo que nossos pais gostariam que fôssemos.

Lembro-me de um paciente cuja mãe provavelmente não deveria ter sido mãe, pois era uma mulher muito pueril e egoísta para cuidar de mais alguém que não ela mesma. Seu filho era um menino sensível e amoroso. A mãe alternava entre lhe dizer quanto amava essa doçura de filhinho e quanto ele era uma coisa horrível. E nenhum dos dois comentários tinha que ver com as atitudes que o menino tomasse; era algo que só dependia do estado de humor da mãe. Além disso, ela periodicamente se aborrecia muito com o fato de ser mãe e o empurrava para onde conseguisse – para a avó, para alguma tia, para um amigo da família. Quando ele ficou um pouco maior, ela simplesmente saía e ele então se via sozinho na casa, ou no apartamento. Cabia-lhe então encontrar alguém para cuidar dele.

Bem, esse garotinho sensível e afetuoso logo se tornou duro e desconfiado. Passou a desconfiar de todos os que lhe mostrassem algum afeto. Como defesa contra uma resposta favorável a demonstrações tão letais de afeto, ele forjou uma armadura que se pretendia ultradesdenhosa e fria para com tudo e com todos que o rodeavam. Sua personalidade essencial teve que ser encoberta por esse disfarce. Não obstante, por mais surpreendente que possa parecer, desde a primeira vez que o vi pude sentir que havia aquela outra personalidade subterrânea e descobri que ele poderia recuperar sua confiança e seu amor naturais, apesar de todos aqueles anos de maus-tratos. Somos uma espécie que não se entrega fácil.

SOMOS TELAS EM BRANCO AO NASCER?

Reflitamos sobre isso por um instante. Se fôssemos telas em branco ao nascer, e todos os nossos conhecimentos e capacidades se desenvolvessem pela experiência pessoal, não teríamos quaisquer talentos subdesenvolvidos em nosso inconsciente. Eu não encontraria nenhuma personalidade subjacente em nenhum dos meus pacientes a ser resgatada do inconsciente. Mas eu a encontrei e todos encontramos.

Jung usava o termo Self (em maiúscula, para distinguir do outro uso normal do termo) para descrever essa personalidade inata que levamos a vida inteira para virmos a ser. Teremos muito mais coisas a dizer acerca do Self nos próximos capítulos, mas por enquanto contentemo-nos em dizer que cada um de nós parece conter um modelo da pessoa que poderemos vir a ser. Esse modelo precisa ser notavelmente flexível, uma vez que precisa ajustar-se em todos os estágios da nossa vida, do nascimento à morte. Tem que ser flexível o bastante para adaptar-se aos muitos meios pelos quais podemos alcançar nosso destino.

Contudo, ele também pode ser notavelmente específico. A Universidade de Minnesota realizou uma pesquisa com gêmeos idênticos que fornece muitas informações a respeito do quanto estamos distantes de ser "telas em branco" no momento em que nascemos. Peter Watson resumiu os resultados desse estudo em seu livro *Twins: An Uncanny Relationship?*[2] No dia 26 de dezembro de 1982, a edição do *Los Angeles Times* trazia uma história que consta desse livro a respeito de um par de gêmeos idênticos do sexo masculino, nascidos em 1939, adotados por pais diferentes (a família Lewis e a família Springer); nenhum dos meninos sabia da existência do irmão.

As coincidências em suas vidas foram excepcionais. Ambos tinham os mesmos interesses e aversões na escola, tinham trabalhado no mesmo tipo de serviços, tinham os mesmos hábitos, tinham tido as mesmas doenças, gostavam dos mesmos passatempos. Essas eram semelhanças tão exatas que seria muito difícil explicá-las apenas pelo conhecimento de que os gêmeos idênticos

---

[2] Peter Watson, *Twins: An Uncanny Relationship?* (Nova York: Viking Press, 1982).

têm o mesmo conjunto de genes. Aliás, algumas dessas similaridades eram tão acentuadas que pareciam situar-se mais além de qualquer explicação de ordem genética. Por exemplo:

> Ambos tinham se casado com mulheres chamadas Linda, haviam se divorciado e depois casado uma segunda vez com mulheres chamadas Betty. Lewis chamara seu primeiro filho de James Alan. Springer chamara seu filho de James Allan. Os dois tinham tido um cachorro na infância que tinham chamado de Toy.[3]

O que neste mundo pode explicar o fato de termos nascido com um plano específico que nos diz para casarmos com mulheres que se chamem Linda e Betty, darmos ao nosso filho o nome de James Alan e ao cachorro o nome de Toy? É um mistério, mas esse exemplo serve para ilustrar até que ponto é difícil negar um destino inato, um caminho rumo ao Self que nos está proposto como devir de nossas personalidades.

Jung gostava de comparar o arquétipo ao leito de um rio que tivesse se formado lentamente com o correr dos anos. No começo ele era apenas um fio de água que ia pelo caminho da menor resistência rumo ao mar. A água seguia por diversos caminhos, um tão provável quanto qualquer outro. Contudo, com o lento passar do tempo, ia se tornando cada vez menos provável

---

[3] Peter Watson, *Twins*, p. 22.

que a água fosse por qualquer caminho que não o já percorrido tantas vezes antes.

Contudo, se as circunstâncias mudassem de modo bastante drástico, um novo caminho ainda poderia ser formado. Por exemplo, se uma avalanche bloqueasse uma parte do rio, a água seria forçada a seguir por outra direção. Se depois formasse um braço que retomasse ao antigo curso, pelo menos parte do percurso teria ocorrido em novo leito. Talvez também parte desse rio nunca mais voltasse para o leito antigo e formasse então um novo afluente.

Assim também se dá com os invariantes cognitivos do inconsciente coletivo e, especificamente, com o arquétipo do Self que determina cada um de nossos destinos individuais. A maioria das pessoas passa a vida toda lutando contra seu destino, paralisado num charco estagnado, muito longe do rio que poderia levá-las até o mar. E se quisermos escapar dessa paralisação, temos que nos dispor a encarar nosso primeiro desafio – a Sombra.

POR QUE A SOMBRA APARECE?

Voltemos ao exemplo da garotinha com aptidões mecânicas e o garotinho com uma função sentimento desenvolvida. Se as pressões dos pais forem fortes o bastante, a menina provavelmente vai se esquecer dos bonequinhos articulados e dos assentos ejetáveis, e voltará seu interesse para bonecas e vestidinhos. O menino cuja empatia inata deveria ser valorizada e recompensada provavelmente aprenderá a ser duro, a defender seus direitos e a não levar desaforo para casa. Depois de algum tempo, o menino e a menina não conseguirão nem mais se lembrar desses interesses pueris (?).

Mas não se podem destruir aptidões inatas. Elas apenas são empurradas para o andar de baixo, o inconsciente. Acontece então uma coisa muito interessante: esses traços de personalidade tornam-se personificados. Quer dizer, uma personalidade (ou múltiplas personalidades) se forma em volta das aptidões que desviamos para o inconsciente. Jung chamava de Sombra essa personalidade porque, como nossa sombra física, ela apresenta um perfil escuro do nosso ser como um todo. Não há uma necessidade lógica para que ocorra essa personificação; poderíamos muito bem ser constituídos de forma a que nossas aptidões apenas permanecessem latentes, aguardando o chamado da vida para então despertar.

Alguns animais são aparentemente solitários por natureza; não parecem precisar da companhia dos outros de sua espécie. Em geral isso se deve a pressões evolutivas. Por exemplo, o pobre orangotango com o tempo acabou se tornando uma criatura solitária porque vive em zonas nas quais o suprimento de comida está espalhado por uma região tão ampla que um bando de orangotangos não conseguiria encontrar alimento suficiente para todos se sustentarem no perímetro de um dia de caminhada.

Os seres humanos, porém, são mais parecidos com seus primos – os macacos; são gregários por natureza. Isolados dos outros seres humanos, inclinamo-nos a nos tornar um pouco menos que humanos. É por isso que o confinamento solitário é a mais temida punição penal. No livro de Peter Freuchen chamado *Book of the Eskimos*,[4] ele conta a história de dois caçadores que passaram juntos o longo inverno do Alasca. Um morreu logo no início do inverno. O outro não conseguiu suportar ficar sozinho e por isso manteve o corpo do companheiro congelado na posição sentada e o colocava à mesa, na tenda, nas horas da refeição. Dessa forma, ele conseguia fingir que ainda tinha uma companhia.

Todos os nossos relacionamentos com o mundo parecem assumir com o tempo a forma de nossas relações com amigos ou inimigos. Relacionamo-nos com as pessoas que vemos na TV, com as que ouvimos no rádio, como se fossem amigos íntimos ou parentes. Nossos animais de estimação tornam-se pessoas para nós. Até mesmo objetos, como os carros e os computadores, tornam-se personificados se gostarmos deles o bastante. Por exemplo, um dos muitos atrativos das colunas que Jerry Pournelle escreve nas revistas de informática, como *Byte and Infoworld*, é que ele tem um nome para cada computador, entre os quais o primeiro que possuiu: um Z80 (isso é um *chip*, para quem não sabe) que ele chama de Ezequiel; seu sucessor, Zeque II; o atual equipamento é Big Chitta, e o Cambridge Z88 tipo portátil é Sir Zed. Até mesmo o lar de Jerry tem um nome: Chaos Manor.

---

4 Peter Freuchen, *Book of the Eskimos* (Cleveland, OH: The World Publishing Company, 1961), pp. 344-61.

Nesse mesmo estilo, uma mulher que conheci dava nome a todos os objetos de arte que havia em sua casa, e que tivesse alguma aparência humana ou animal. Lá estão o Jipers, que é o aparelho de telefone que se parece com um mordomo; Guillermo, o tucano de metal; Alexander, o coelho de madeira; Hazel-Matilda, a bruxa de pano etc. Para ela, isso cria uma sensação de aconchego quando entra em casa e vê tantos amigos.

A SOMBRA NOS SONHOS

É inevitável que enxerguemos o mundo pelas lentes de nossas relações humanas. Não surpreende, portanto, que nossos sonhos sejam quase que inteiramente a respeito de nossas relações com os outros. Em grande medida, eles estão repletos das mesmas pessoas com quem entramos em contato na nossa vida diária. Mas também são povoados por pessoas que só conhecemos de vista, quando muito. E, de tempos em tempos, aparecem pessoas que nunca vimos antes (e provavelmente jamais veremos): pessoas que o inconsciente criou.

Jung pensava que as qualidades que negamos em nossa vida não somem para sempre, que elas apenas são relegadas ao inconsciente, onde se tornam personificadas como a Sombra. Quando nossos recursos conscientes não são adequados para enfrentar alguma nova questão, e precisamos das qualidades que foram relegadas ao inconsciente por negação ou negligência, elas aparecem sob a forma de Sombra, numa figura que nos vem em sonhos. Sempre que temos um sonho com a Sombra, deveríamos considerá-lo o início de algum novo ciclo de vida. Dada a complexidade da nossa vida, em qualquer momento dado podem estar acontecendo ao mesmo tempo vários desses ciclos de duração variável.

As figuras de Sombra geralmente aparecem primeiro como não humanas: extraterrestres, vampiros, zumbis, criaturas semi-humanas/semianimais etc. Elas nos confrontam com sua presença indesejada e, no entanto, inevitável. Com o tempo, essas figuras oníricas evoluem, transformam-se e tornam-se plenamente humanas, do mesmo sexo que o sonhador, mas malignas, vilãs, desprezíveis. (Certamente, em nada parecidas conosco, criaturas perfeitas que somos!) Mais tarde, elas se desenvolvem ainda mais em personagens dignos de pena a quem toleramos, mas que olhamos de cima para baixo; depois tornam-se conhecidos nossos – pessoas que consideramos não particularmente significativas – mas que toleramos como parte de nossa vida cotidiana. Mais adiante ainda, as figuras da Sombra transformam-se em amigos, parentes, namorados. Por fim, se tivermos aprendido a integrar seus traços indesejáveis de caráter em nossa personalidade, elas não precisam mais ser personificadas no inconsciente. Ter-nos-emos transformado a ponto de elas então serem parte de nós.

Voltemos àquela progressão com a menininha do exemplo anterior, num andamento um pouco mais lento. Na época em que ela tiver se tornado adulta, já terá sem dúvida desistido há

Figura 9. A dança da sombra. Quando somos finalmente forçados a reconhecer a realidade da Sombra, no início nossa relação é como uma incômoda dança ritual, sempre ameaçando transformar-se numa guerra a pleno vapor. (Reproduzido de *1001 Spot Illustrations of the Lively Twenties*.)

muito tempo de tentar fazer uso de suas aptidões mecânicas inatas. Durante algum tempo, sua vida poderá parecer-lhe plena e satisfatória. Mas, depois, alguma coisa acabará dando errado. Talvez ela depare com um dilema moral que não consegue resolver valendo-se de todos os seus outros recursos racionais. Ou talvez ela se veja inexplicavelmente deprimida, incapaz de investir seu interesse no que quer que seja. Por mais que tente encontrar um meio de resolver seu dilema, ou sair de sua depressão, nada funciona.

Isso acontece porque o que precisa está no inconsciente, inacessível a ela por meio de sua consciência. Quando chega esse momento, o inconsciente começa a se apresentar a ela mediante figuras de Sombra que emergem em seu campo consciente, configuradas à base daqueles traços de personalidade que veio negando por todos esses anos. No princípio, as figuras da Sombra em seus sonhos serão provavelmente de ordem não humana e será impossível identificar os traços que as distinguem. Essa é uma etapa em que a mente consciente da mulher está sendo desafiada pelo confronto com a possibilidade de ela desenvolver aptidões que até então negou e que lhe são possíveis. Portanto, a própria ideia parecerá condenável – desumana.

É muito frequente que a negação seja tão completa que os sonhos de Sombra acabem se tornando pesadelo. Formei o hábito de, toda vez que tenho um pesadelo, tentar adormecer outra vez para voltar a ele e fazer as pazes com a figura que me apavorou. Às vezes isso realmente acontece. No geral, a tentativa em si é suficiente para forjar alguma espécie de reaproximação entre a consciência e o inconsciente e por isso desaparece a necessidade de haver o pesadelo.

O mundo dos sonhos serve como um palco maravilhoso em que muitas situações diferentes podem ser encontradas, envolvendo muitos personagens diferentes, levando a muitas conclusões diferentes. As pessoas que alegam jamais terem sonhos ficariam chocadas se descobrissem as cenas que se desenrolam em suas psiques todas as noites. Em seus sonhos, são confrontadas exatamente com aquelas situações que precisam enfrentar, para poderem crescer e se desenvolver. Vai ocorrendo uma lenta evolução do caráter, apesar da falta de consciência, de percepção consciente, desses sujeitos.

Até aqui falei da Sombra no seu sentido mais amplo – sentido no qual ela pode aparecer como qualquer figura, desde um temido personagem de pesadelo até um amigo ou familiar. Contudo, figuras extremas de Sombra, que nos parecem abomináveis, só emergem quando alguma coisa deu errado com esse processo. Essas figuras de Sombra surgem quando nos instalamos com muita rigidez em nossas certezas. Pense em como é a sombra física. Ela só aparece quando a luz incide sobre nós. Quanto mais forte a luz, mais escura a sombra. Assim, se nos virmos como muito bons, como muito perfeitos, a Sombra, em compensação, se tornará mais escura.

A PERSONA E SUA RELAÇÃO COM A SOMBRA

Jung chamava de "Persona" a face que apresentamos ao mundo, referindo-se com esse termo às máscaras que os gregos usavam em suas encenações de tragédias. Contudo, o uso desses personagens simbólicos dificilmente limita-se ao drama grego. Por exemplo, os japoneses têm máscaras semelhantes que usam em seu teatro Nô. Cada máscara representa um tipo fixo de caráter. Os balineses usam figuras simbólicas semelhantes em suas marionetes. As figuras burlescas de Punch e Judy, com seus personagens, são predileções perenes das crianças inglesas. E, embora não usem máscaras, os heróis e vilões dos faroestes americanos foram (até o dia em que surgiu o anti-herói) tipos de caráter igualmente fixos. Todos reconhecíamos o latifundiário malvado, o frio assassino de aluguel, a senhorita inocente em apuros, o médico alcoólatra, o balconista do *saloon*, durão com um coração de ouro, o herói puro como um floco de neve, e assim por diante.

No mundo ocidental dos últimos dias deste século XX[5], a ocupação de uma pessoa pode facilmente tornar-se sua persona; quer dizer, um homem torna-se engenheiro ou programador de computador a tal ponto que esquece que é mais do que aquilo em que trabalha. Até recentemente, as mulheres tinham pouca ou nenhuma oportunidade para papéis adultos que não os de "mãe", "empregada de confiança", "professorinha", "bibliotecária" etc. Toda mulher que se casa e tem filhos sabe como é difícil conseguir que as outras pessoas a enxerguem como uma pessoa, como alguém que não é só a esposa de seu marido ou a mãe daqueles filhos. Ela mesma pode ter muita dificuldade imaginando-se de outra maneira que não a associada a esses papéis fortemente arquetípicos.

---

5 A publicação do original deste livro foi em 1992.

Todos nós necessitamos de uma identidade e, em vez de lutar para definir nossa identidade peculiar, a maioria se dispõe a assumir uma identidade coletiva, como a "mãe", o "pai", o "bibliotecário", o "programador de computadores". Esses papéis, porém, são como máscaras que não conseguem mudar de expressão. Seja qual for a situação, temos que reagir dentro do nosso personagem predefinido. Quando as pessoas ficam imobilizadas em sua persona, parecem-nos pessoas rasas. Não nos despertam muito interesse porque elas literalmente não têm profundidade.

Da mesma maneira, construímos uma visão ideal de nós mesmos – suaves e gentis mas ao mesmo tempo fortes e corajosos. (Ou confiáveis, leais, prestativos, audaciosos, imaculados e reverentes como devem ser os escoteiros.) Toda imagem assim composta exclusivamente de elementos que consideramos bons e justos é luminosa demais; falta-lhe a nuança escura, indispensável para que seja completa. Por exemplo, na Inglaterra do fim do século XIX, o ideal masculino era o cavalheiro e sua exótica arte da autodisciplina. O complemento desse ideal era o selvagem, incapaz de controlar seus impulsos instintivos. Claro que essas duas imagens só existiam na mente dos ingleses, não na realidade. Movidos pela ilusão de que estavam no completo controle de suas vidas, os membros da classe alta inglesa estavam, na realidade, sendo dominados pelo seu inconsciente. Levados pela necessidade de encontrar o selvagem, crucial para completar sua autoimagem, os homens britânicos forçaram o colonialismo aos seus extremos, dominando a África e a Índia e todos os outros lugares do mundo em que imaginavam haver selvagens. Os colonizadores britânicos instalaram-se em todos os países e tentaram viver exatamente como se ainda estivessem na Inglaterra. No meio da África, os cavalheiros ingleses usavam colarinhos duros, liam seu *London Times* todos os dias (que, provavelmente, devia estar seis meses atrasado na época em que os alcançava), e tomavam chá às 5. Mais do que qualquer outra coisa, esses colonizadores temiam que seus próprios companheiros, incapazes de resistir à atração do inconsciente, tivessem se tornado "nativos".

Para desenvolver a autodisciplina necessária para essa insanidade, os meninos ricos da classe alta inglesa eram enviados para escolas nas quais eram selvagemente (sic) espancados e sexualmente molestados, com bastante frequência, tanto pelos professores como pelos colegas. Sua necessidade das trevas e da selvageria reprimida levava-os de modo inexorável ao masoquismo e ao sadismo. Incapazes de se vincular à sexualidade e ao amor, porque isso exigiria certa redução de seu papel consciente como dominadores, tornavam-se homossexuais em contingentes extraordinariamente numerosos.[6]

---

[6] De modo algum estou insinuando que toda homossexualidade decorra dessa depressão. Parece que uma porcentagem fixa (em geral estimada entre 10 e 15%) de homens e mulheres de qualquer cultura é homossexual, tratando-se de pessoas que parecem ser geneticamente predispostas à homossexualidade, da mesma forma como a maioria é geneticamente predisposta à heterossexualidade. Mas as circunstâncias também podem levar uma pessoa cuja sexualidade é mais limítrofe para um ou outro lado. No caso da Inglaterra do fim

Ou ainda, consideremos um fenômeno de proporção bem maior – o cristianismo – e a Sombra que ele deixou em muitos de nós. Em agudo contraste com a máxima judaica patriarcal de "olho por olho, dente por dente", Cristo apresentou ao mundo uma ideia nova, mais doce, mais feminina – "ama o teu próximo como a ti mesmo". O que Cristo estava realmente expressando era o conhecimento de que ele não estava de fato distante das pessoas à sua volta, que ele via algo de seu em todos aqueles com os quais entrava em contato. Mas essa percepção exige autoconhecimento, e isso só vem depois de uma longa luta com nós mesmos e, em especial, com a nossa Sombra.

Seus seguidores escolheram entender a "regra de ouro" como precisamente isso – uma regra a ser seguida, da mesma forma como haviam seguido os dez mandamentos da religião judaica. É mais fácil apenas dizer que temos de amar o nosso próximo, independentemente de o amarmos ou não, do que ir em busca daquelas partes de nós mesmos que preferiríamos deixar no escuro. Assim, seguindo o ideal de Cristo, é muito mais fácil vê-lo como alguém perfeito, incapaz de pecar, do que vê-lo como um homem que lutou e conseguiu conciliar lados contraditórios da sua natureza. O que mais poderia Cristo fazer exceto lutar, sendo como era composto igualmente de Deus e homem? Se seguirmos o ideal crítico, precisaremos lutar para reconciliar a

---

do século XIX, as circunstâncias forçaram muitos homens das classes elevadas a uma homossexualidade infeliz, e infeliz porque provavelmente não era o que a sua natureza pretendia.

nossa natureza animal essencial com a nossa natureza divina essencial. Precisamos encontrar a divindade no instintivo e o instintivo no divino.

Em vez disso, o cristianismo desenvolveu um ideal de perfeição, de luz isenta de escuridão. A escuridão foi dividida e separada, atribuída a Satã, em vez de ser enxergada como uma parte necessária da nossa natureza. Se há luz, existe inevitavelmente escuridão para compensar. Por isso, todas as partes negligenciadas e reprimidas da personalidade reúnem-se em volta da Sombra e associam-se ao pecado e ao mal.

PROJEÇÃO

Jesus também nos disse que deveríamos primeiro ver o cisco em nosso olho, antes de atribuir o mal ao próximo. Os psicólogos usam o termo *projeção* para referir-se a esse processo pelo qual atribuímos características nossas aos outros. É importante darmo-nos conta de que a projeção é um processo inconsciente, sobre o qual não temos nenhum controle. O objetivo da autoconscientização é chegar a uma percepção consciente tal que não tenhamos mais que projetar nossa Sombra nos outros.

Se somos sexualmente reprimidos, forma-se uma figura da Sombra que dá ensejo a todo impulso sexual. Quanto mais negamos que temos esses desejos malignos, mais energia é constelada em torno da Sombra. Depois de algum tempo, existe tal acúmulo de energia que não conseguimos mais confiná-la ao inconsciente e ela vem intempestivamente para fora. Por vezes, apodera-se de nós e fazemos coisas que preferiríamos esquecer depois: "Cara, eu estava de porre! Não me lembro de nada!".

Ou projetamos a Sombra em alguém que está por perto. As projeções não são totalmente indiscriminadas; precisa haver alguma espécie de "gancho" para que a Sombra se enganche. Mas se a energia for suficientemente forte, o gancho nem precisa estar muito próximo. Em nosso exemplo, poderíamos projetar a nossa Sombra do selvagem lúbrico em alguém não tão reprimido quanto nós em termos de sexualidade. Assim que a projeção estiver em andamento, poderemos atribuir toda sorte de características a essa pessoa infeliz, características que pouco ou nada têm que ver com a sua verdadeira personalidade.

Por esse motivo é que nossos sonhos nos apresentam as figuras da Sombra. Nestes, podemos nos envolver com elas em segurança. No inconsciente, podemos ter nossas discussões, travar nossas batalhas, e lentamente chegar a respeitar o ponto de vista desses personagens interiores, aprendendo aos poucos a nos soltarmos mais e mais. Mas, se na nossa consciência permanecermos rígidos demais para conseguir mudar nosso sistema de valores, as figuras da Sombra se tornam progressivamente mais ameaçadoras, até que terminam sendo projetadas em outras pessoas de nosso mundo. Depois de projetadas, seremos forçados a enfrentá-las e a confrontar a Sombra, infelizmente às custas da pessoa que serviu de continente para a projeção.

O fato de que esse processo ocorra é espantoso. Evidentemente, algo em nós não aceita a nossa unilateralidade de perspectiva a respeito da vida. Jung chamava esse processo interior de *função transcendente* (no sentido de que ele "transcende" nossa abordagem funcional normal da vida). A função transcendente tenta recuperar a totalidade e a integridade da pessoa ao trazer para o campo da consciência aspectos reprimidos ou ignorados da personalidade. Vista por esse ângulo, a Sombra constitui uma oportunidade de crescimento. Quando constatada e acolhida para uma relação, leva-nos a crescer. Quando é negada e reprimida, a Sombra fica maior até sermos obrigados a reconhecer sua presença e nos havermos com ela. A psique está tentando nos fazer crescer, queiramos ou não.

A MENINA COM APTIDÕES MECÂNICAS

Voltemos ao nosso exemplo da menininha com aptidão mecânica. Forçada a afastar-se de suas habilidades mecânicas "masculinas", ela provavelmente desenvolveu uma Persona excessivamente feminina. Não poderia admitir quaisquer traços masculinos em sua personalidade, porque uma parte dela sabia quanto seria bom poder dar um jeito nos defeitos do carro, projetar pontes, brincar de descobrir como funciona um computador. Dessa forma, viu-se obrigada a condenar como não feminino tudo que até mesmo de longe insinuasse aspectos masculinos, repugnantes para ela.

Imaginemos que se casasse com um "homem grande e durão", que gostasse de "ser o patrão dentro de casa". Por algum tempo, ela o adularia e incentivaria a ser o homem grande e forte que ele parecia ser, e pensaria estar gostando da vida que levava. Logo depois de casar, teria uma filha e, dois anos depois, um menino. Agora já se passaram dez anos. Ela ama os dois filhos e ainda ama o marido (embora ultimamente tenha se percebido cansada de ter de estar o tempo todo concordando com as habilidades "superiores" dele, em todas as questões relevantes). Ela não sabe o que vem acontecendo com ela, mas a vida parece ter perdido o interesse. Ela percebe que apenas executa mecanicamente o que lhe cabe fazer.

Nós, do lado de fora, que estamos observando a vida dessa mulher, podemos prontamente enxergar qual é o seu problema: ela perdeu parte de sua alma. Não é mais a pessoa que pensa que é, e não sabe bem quem é. Mas perdeu sua Sombra há tanto tempo que nem sequer se lembra de ter tido uma. Por sorte, esta ainda está viva em seu inconsciente. Talvez à noite ela tenha um sonho. Não consegue se lembrar de qual seja, mas o sonho surte nela um efeito inquietante. No dia seguinte, fica de mau humor.

Umas poucas noites depois, ela tem um sonho de que se lembra. É um pesadelo a respeito de uma mulher que a está perseguindo – uma mulher horrível e monstruosa, de braços cabeludos e muito musculosos. Ela sabe que se essa mulher alcançá-la vai esmagá-la porque é forte como um gorila. Acorda suando frio.

Nessa mesma semana, ela pensa ter visto essa mulher no supermercado. Quando olha mais de perto, não consegue imaginar por que havia pensado que era a mulher do seu sonho. Essa era morena e tinha pelos nos braços, mas em nada mais se parecia com a mulher do sonho. No final do dia, ela assiste na TV a um episódio de *I Love Lucy*, em que Lucy e Ethel estão tentando armar uma churrasqueira no meio da noite. Ela ri, mas, por um instante, percebe que está pensando como teria feito, se fosse ela. O pensamento passa tão depressa que ela nem se lembra de tê-lo tido.

Bem, não vou prosseguir relatando todas as etapas. Poderia levar muito tempo. Em geral, aparece aquele momento em que a mulher terá que atravessar o seu Rubicão pessoal. O mais provável é esse momento vir à tona revestindo alguma providência de pouca monta, imperceptível no momento. Talvez um dia ela simplesmente não suportasse aquela torneira pingando nem mais um segundo. Já fazia semanas que vinha pedindo ao marido para consertá-la, mas ele ignorava o seu pedido. Então ela pega as ferramentas e conserta a torneira sozinha, sem nem sequer se dar conta de que sabe como fazê-lo. Ela não menciona o evento para o marido. Aliás, ela tenta esquecer inteiramente o incidente porque isso a incomoda. Mas, daí em diante, está determinado o curso de sua vida.

Talvez o leitor esteja pensando que essa situação é muito simples, que a vida é bem mais complexa do que um resumo assim tão sumário. Isto posto, observe que mesmo esse exemplo está longe de ser simples. Essa mulher não vai mudar e tornar-se Josefina, a encanadora. Ela não vai perder a feminilidade que tanto preza. No entanto, pode acabar perdendo o marido.

Provavelmente, está casada com um homem fraco, porque um homem forte teria esperado uma mulher de verdade e, quando se casara, ainda não sabia que espécie de mulher ela era. Ao recuperar sua natureza essencial, ela reunirá forças. Com as forças revigoradas, parecerá estranha e até mesmo assustadora para o marido. O confronto será inevitável.

Não é fácil encarar a Sombra. É algo que requer coragem e, inevitavelmente, muda nossa vida. Para reconhecermos a Sombra temos de reconhecer nossas projeções, e depois removê-las uma a uma. Isso leva à constatação de que cada um de nós é muitas pessoas; que, pelo menos em parte, somos o mesmo que os que estão à nossa volta. No estágio da Sombra, essa é uma conscientização parcial apenas, mas o caminho que seguimos depois é inelutável.

Na próxima seção, abordarei a relação entre o mal e a Sombra, e apresentarei algumas técnicas práticas para integrar as qualidades necessárias da Sombra em nossa própria personalidade.

A SOMBRA E O PROBLEMA DO MAL

> [...] a figura viva precisa de uma sombra profunda para ter uma forma. Sem sombra, ela é um fantasma bidimensional, uma criança mais ou menos bem-educada.[7]

---

[7] Carl Jung, *The Collected Works*, vol. 7, p. 400.

Quando as pessoas ouvem falar pela primeira vez do conceito de Sombra, costumam visualizar algo como "a força escura" dos filmes *Star Wars*. Pensam num combate entre a luz e as trevas, entre o bem e o mal. Lembremo-nos de nossa discussão de como o cristianismo, com seu objetivo de perfeição, tantas vezes tem alimentado essas dicotomias, não só em cada pessoa, mas também em toda a cultura cristã. Se tudo o que é bom for atribuído a Cristo e tudo que é mau a Satã, não haverá espaço para as nuanças da ambiguidade: os cristãos são bons e todos os outros são maus. A história dos "pogroms" cristãos contra os judeus são uma evidência suficiente dos resultados de uma crença como essa.

Mas, evidentemente, o cristianismo não está só. No Islã, por exemplo, dá-se uma divisão idêntica entre luz e trevas, entre bem e mal, que está impregnada em seus dogmas religiosos. Na Idade Média, estando o cristianismo e o islamismo igualmente convencidos de sua retidão moral, tivemos trezentos anos de guerras sangrentas (nove guerras, para ser exato), que chamamos de as Cruzadas. Pode existir na história uma sequência de episódios mais condenáveis do que a assim chamada Cruzada das Crianças, em que milhares de crianças marcharam para servir a Cristo, sendo afastadas de seus lares, e terminaram sendo vendidas como escravas?

A história reverbera com os apelos dos moralmente irrepreensíveis – Juan de Torquemada, conduzindo a Inquisição espanhola, Cotton Mather ajudando e aliciando nos julgamentos das bruxas de Salem. Mais recentemente, Jimmy Jones e o suicídio em massa nas Guianas, Khomeini e seu fanatismo. A lista é interminável. Assim que a luz é separada da escuridão, e nos identificamos exclusivamente com a luz, todos os que são diferentes de nós passam a estar identificados com as trevas. Mas nós precisamos dos valores escondidos no escuro, da mesma forma como precisamos dos valores abertamente aceitos pela luz. Essa necessidade faz com que projetemos a escuridão oculta naqueles que percebemos como diferentes de nós. Quando a escuridão chega à superfície, traz com ela associações com tudo que condenamos a ficar no escuro. Vemos os nossos inimigos e enxergamos neles

Figura 10. A sombra demoníaca. Enquanto permanecermos inconscientes da Sombra como parte da nossa personalidade, ela se mistura a tudo o que é ruim e diabólico. (Extraído de *Le Chemin des Écoliers*, reimpresso de *Dore's Spot Illustrations*.)

tudo o que não queremos ver em nós. Não espanta que tentemos destruí-los com tanta ferocidade.

Poder-se-ia pensar que uma tragédia tão grande como o Holocausto serviria para nos despertar para sempre para as trevas que existem dentro de cada um de nós. O ódio de Hitler alimentava-se de uma visão de super-homens arianos loiros, casados com supermães arianas loiras, gerando supercrianças arianas loiras. As trevas seriam projetadas sobre todos os que não fossem compatíveis com essa imagem – os africanos, os orientais, os ciganos, os lavradores do Leste Europeu e, especialmente, os judeus.

Mas a Segunda Guerra Mundial mal tinha acabado quando Stalin construiu os gulags e deu início ao extermínio sistemático de um número ainda maior de pessoas do que as mortas no Holocausto. E a história continua sem cessar – a Polícia Política matou praticamente a população inteira do Cambodja. Idi Amin, por algum tempo, permaneceu na mente de todos como o líder absoluto da depravação. A tortura sistemática de ativistas políticos ainda ocorre em El Salvador, na Guatemala, no Brasil; aliás, até recentemente, em quase todos os países da América Latina e do Sul. Nos Estados Unidos, os fiéis adoradores do ódio sempre defenderam a bandeira da pureza cristã enquanto despejavam seu veneno contra inimigos tradicionais – as figuras de Sombras nacionais – como os negros e os orientais, os mexicanos e porto-riquenhos, e os judeus.

A Sombra precisa ser trabalhada, tanto na nossa vida individual como na vida da cultura em que vivemos. É esse o primeiro estágio rumo à ampliação da consciência. Sem a consciência, estamos à mercê do pior que há em nós. E esse é o caminho até as atrocidades que acabei de mencionar e a muitas outras, numerosas demais para serem citadas.

A SOMBRA ESCONDIDA DENTRO DAS LUZES DA CIÊNCIA

Quero agora contar uma história sobre o mal. Ela é citada nas aulas universitárias de psicologia, aulas isentas de qualquer julgamento moral, pois este não é considerado pertinente ao âmbito da ciência. Trata-se de uma história que alude a John B. Watson, fundador da psicologia predominante nos Estados Unidos, o comportamentalismo. Watson gostava de dizer que, se lhe dessem uma criança bem pequena, ele a transformaria em qualquer coisa que se quisesse: cientista, advogado, criminoso.

Como prova do que alegava, conduziu uma vez um famoso experimento com um bebê de 11 meses chamado Albert. Watson associou um ruído assustador à visão de um rato até que o pobre bebê se mostrasse aterrorizado diante de ratos. Depois Watson "generalizou" essa associação até que Albert tivesse medo de toda espécie de coisas – cães, lã, objetos macios, uma máscara de Papai Noel. A intenção de Watson fora ver se ele conseguia remover esses medos usando técnicas semelhantes, mas infelizmente a mãe de Albert, que trabalhava no hospital, saiu do emprego e Albert ficou sem tratamento para seus medos.

Nesse caso, "luz" era a ciência e "escuridão" a ignorância. Tudo o que aumentasse a luz era bom, independentemente do que exigisse. Quero dar agora outro exemplo ainda da psicologia – os famosos experimentos conduzidos pelo psicólogo experimental Stanley Milgram, no início da década de 1960. Quando Milgram começou com essas pesquisas, esperava realmente provar que os alemães eram diferentes de você e de mim, e que, portanto, o Holocausto nunca poderia acontecer em outra parte. Seu plano era, primeiro, realizar o experimento na América, e depois ir para a Alemanha a fim de concluir o segundo estágio da pesquisa. Nunca conseguiu ir além do primeiro.

Milgram pedia a um participante de um experimento que o ajudasse num experimento de aprendizagem com outra pessoa, supostamente o verdadeiro sujeito. O segundo participante devia supostamente escolher a palavra que melhor se associasse a outra, dentro de uma lista de quatro ou cinco palavras. Se escolhesse a palavra errada, recebia um choque leve para incentivá-lo a fazer a escolha certa da próxima vez. Se errasse de novo, a voltagem do choque aumentava.

Esse experimento era na realidade um disfarce. Não se dava o choque no suposto participante nº 2. Na realidade, este era outro psicólogo que desde o início estivera a par da situação experimental. O verdadeiro alvo do experimento era ver até onde o primeiro sujeito, que era o verdadeiro objeto da pesquisa, conseguiria de bom grado continuar aplicando os choques em outra pessoa. O verdadeiro sujeito submetido ao experimento deveria administrar o teste, girar um dial para estipular o gradiente do choque e depois acionar um botão para aplicá-lo. A máquina tinha um mostrador que variava de "choque leve" a "perigo: choque intenso". Além desses havia pontos não rotulados que supostamente estariam fora dos limites do teste.

Milgram queria descobrir até que ponto as pessoas iriam antes de se recusar a administrar mais choques. Nem ele nem seus colegas esperavam que muitos sujeitos concordassem em ir até o fim. Estavam errados. Todos os sujeitos foram! Milgram ficou surpreso e reelaborou o procedimento experimental, tornando-o cada vez mais macabro. Num dos projetos, gravou uma fita antecipada do suposto sujeito chorando, suplicando, pedindo ajuda, gritando, e depois em silêncio, como se tivesse desmaiado. Ainda assim 65% dos sujeitos foram sem hesitação até o final do teste!

Os sujeitos não se limitaram a jovialmente pressionar o botão. À medida que o teste ia caminhando, reagiam como qualquer pessoa o faria. Pediram para Milgram interromper. Ele lhes disse friamente para continuar. Argumentaram que o sujeito estava morrendo. Milgram repetiu que o sujeito estava a salvo e que o experimento deveria continuar. Esta era a frase-chave: "O experimento deve continuar".

Surpreendentemente, Milgram nunca percebeu que ele mesmo havia reproduzido exatamente a mesma relação, com as pessoas que davam os choques, que estas criavam com o sujeito que supunham estar amarrado à cadeira recebendo os choques. Milgram insistia que, se ele tivesse sido um dos sujeitos, teria parado. Ele de fato foi – e não parou.

Sua manipulação dos sujeitos, mentindo desde o início, já foi péssima. Mas, no início desse experimento, ele nunca pensou que chegaria a resultados tão aterrorizantes, que fosse obter resultados psicologicamente tão prejudiciais a seus sujeitos. Contudo, depois dos primeiros experimentos, quando descobriu o que tinha feito, a humanidade deveria tê-lo feito parar. Mas não, o experimento tinha que continuar.

Milgram nunca admitiu que estava errado. Muitos psicólogos ficaram estarrecidos com o experimento. Mas ainda mais terrível foi que muitos outros pensaram que se tratava de uma grande ideia e começaram a projetar e conduzir outras pesquisas que se valiam do logro do participante de um experimento. E diziam: que grande chance de obter dados reais; não deixe o sujeito saber que ele é um sujeito e você então vai ter respostas reais. A moralidade da situação perdeu-se em meio à corrida por mais e mais dados. Desde então têm sido realizados tantos experimentos desse tipo que é de se perguntar se ainda existe algum sujeito capaz de acreditar num pesquisador de psicologia. Afinal de contas, não é líquido e certo que o experimentador deve mentir para você? Mas tudo em nome da ciência, você entende.

C. P. Snow analisou os limites da atitude científica de indiferença no seu romance *The Sleep of Reason*.[8] Nesse livro, duas amigas de meia-idade, talvez namoradas, são levadas a julgamento por haverem torturado um menino pequeno. Fizeram-no basicamente movidas por curiosidade, e com uma atitude fria, clínica, que não teria destoado num laboratório de pesquisas. No decurso do julgamento, todas as tentativas normais de nos distanciarmos desses atos vão sendo confundidas. Fica claro que, considerados os limites de qualquer definição padrão de sanidade, essas duas mulheres são perfeitamente sadias. Também parece provável que o evento, depois de cometido, jamais seria repetido. Embora seu ato tenha sido monstruoso, elas não são monstros. Não conseguimos encontrar linha alguma que venha a separar-nos delas. Conforme o julgamento prossegue, o leitor é cada vez mais levado à conclusão a que chegou o advogado do século XIX que, tendo condenado um homem à morte, disse: "Não fora pela graça de Deus e lá iria eu". Ou, como falou Albert, o Jacaré, em Pogo: "Vimos quem é o inimigo e ele está em nós".

Todos sentimos medo de olhar para os monstros que tememos estar dentro de nós. A antiga história da Caixa de Pandora aconselha-nos a não bulir nas coisas ocultas. Contudo, é precisamente quando não examinamos o nosso lado oculto que ele cria monstros e vem explodindo na direção do mundo exterior.

---

8 C. P. Snow, *The Sleep of Reason* (Nova York: Charles Scribner's Sons, 1968).

Assim que começamos a reconhecer que os monstros que enxergamos fora vivem dentro, o perigo diminui. Em vez disso, vamos então encontrando os primórdios da sabedoria que todo monstro supostamente pode nos transmitir.

Talvez consigamos compreender os sujeitos de Milgram e entender até o próprio Milgram. Se formos só um pouco mais longe, conseguiremos nos colocar no lugar de John B. Watson. E esse é o primeiro passo, do qual tão desesperadamente precisamos, para integrar a Sombra.

O TRABALHO COM A SOMBRA NOS SONHOS

Quando você se surpreende entrando em conflito com outra pessoa num sonho, presuma que ela é uma figura de Sombra dotada de algum atributo que você precisa integrar na sua personalidade. Fazer essa suposição é uma atitude correta em praticamente todos os sonhos. As vezes em que você está genuinamente com a razão e em que o sonho está resumindo com exatidão a situação não são frequentes o bastante para poderem ser consideradas a exceção que comprove a regra.

Quanto mais intensa a luta, mais certo você pode estar de que está se havendo com uma figura da Sombra. No mesmo sentido, quanto mais repugnante ou desagradável você perceber que é a outra pessoa, mais provável será que se trate de uma figura da Sombra. No início, é difícil reconhecer isso, pois as figuras da Sombra invariavelmente representam qualidades que nos recusamos a admitir como parte de nossa própria personalidade. Mas assim que você aceita essa premissa, começará a considerar os sonhos da Sombra como oportunidades para progresso e não como meros interlúdios desagradáveis, ou pesadelos.

Se você aceitar conscientemente que está lidando com uma parte Sombra da sua personalidade, você descobrirá com o tempo que seus sonhos exibem a evolução da Sombra que mencionei antes (de inumana para humana desprezível, depois humana tolerável). É invariável que haja também uma evolução de um elemento vago e amorfo para mais bem definido. Isso acontece porque, conforme a consciência se envolve com o inconsciente, os contornos da sua Sombra particular se tornarão mais precisos. Quando você estiver lidando com uma parte de sua personalidade que rejeitou antes, dificilmente estará em condições de fazer finas avaliações de valor, na primeira vez em que deparar com a Sombra. Mais tarde, virá a descobrir quais são as aptidões peculiares de seu inconsciente.

Não se preocupe se, durante esse processo de confrontar a Sombra, você não conseguir compreender de maneira consciente o que ela representa. Continue simplesmente honrando-a, ao admitir para si mesmo que é provável que a Sombra esteja certa e você errado. Na maior parte das vezes, a questão vai resolver-se por si muito antes de você ser capaz de entender no plano consciente o que era.

Por exemplo, um paciente teve um sonho em que um negro ganancioso e mesquinho era proprietário de um hotel em que ele e a esposa estavam hospedados. O negro tinha construído os banheiros de tal modo que qualquer pessoa que desejasse utilizá-los tinha que passar por um complicado procedimento de duas etapas, pagando em cada uma delas. Na ocasião, ele só entendeu em parte a mensagem do sonho: percebeu que indicava que ele precisava de algumas características que ele mesmo tinha na conta de "gananciosas", mas ele não sabia então quais eram essas características.

Na realidade, ele estava entrando numa época em sua vida em que precisava pensar mais em si e menos nos outros porque estava se preparando para uma mudança profissional significativa. Eram tantas as pessoas que dependiam do seu apoio emocional que ele não tinha tempo de identificar suas próprias dificuldades. Só mais tarde foi que se deu conta de que a figura da Sombra estava lhe dizendo que ele precisava tornar mais difícil aos outros "despejar sua sujeira" em cima dele. Embora, é óbvio, ele não tivesse sido capaz de identificar tudo isso na ocasião em que teve o sonho, pelo menos reconheceu que era um sonho de Sombra e que provavelmente precisava estar mais disponível para ser "ganancioso".

A escolha do "negro" é típica do inconsciente no caso de um sonhador de cor branca. Ter um sonho desses não significa que o sonhador seja um fanático. Os sonhos típicos de Sombra dos caucasianos usam negros, americanos nativos, hindus, lavradores mexicanos etc. como elementos que representem a Sombra. Os negros provavelmente usam os homens brancos como figuras de Sombra – além da maioria das combinações antes citadas, exceto, é claro, os negros. Em outras palavras, nossos sonhos usam pessoas de qualquer raça ou nacionalidade que se distanciem de nossas experiências culturais para representar a Sombra.

Quando as questões da Sombra estão se aproximando de uma resolução, é frequente existir uma ambiguidade de identidade no sonho, especialmente entre o sonhador e outra figura. Por exemplo, uma senhora de meia-idade teve uma série de sonhos em que não estava claro se era ela mesma quem estava no sonho ou se era uma moça bastante mais jovem. O simbolismo do sonho indica que uma fusão da senhora de meia-idade com uma parte mais jovem de sua pessoa estava prestes a ocorrer.

COMO RECONHECER A SOMBRA NA VIDA COTIDIANA

Aprender a reconhecer a Sombra nos seus sonhos ajuda a reconhecê-la na vida cotidiana. Examine suas explosões emocionais. Se alguém realmente consegue fazê-lo sair do sério, trata-se muito provavelmente de alguém que "contém a sua Sombra" para você; você está projetando a sua Sombra em alguém que serve de isca para isso. Nesses casos, em vez de permanecer na emoção, tente dizer para si mesmo que se trata de uma questão sua, e não daquela pessoa, e que é você que está projetando a sua própria Sombra.

Isso é muito mais difícil de aceitar na vida diária do que nas figuras oníricas. Mesmo quando você entende conscientemente o processo de projeção da Sombra, perceberá que está negando tê-lo feito. Alimentará, para você mesmo, alguma espécie de "sim, mas...". Quanto mais raiva a pessoa despertar em você, mais certeza você pode ter de que está diante da sua Sombra. A raiva mobilizada pela Sombra tem uma qualidade desarrazoada que, aos poucos, você poderá distinguir da raiva justificada que sente diante de uma genuína abominação. Mais uma vez, é melhor, nas etapas iniciais de um trabalho com a Sombra, sempre assumir que o problema é seu e não da outra pessoa. Se você entrar com esse pressuposto na situação, não estará errando na grande maioria dos casos.

Aos poucos você progredirá nesse confronto com as projeções da Sombra. No início, você só será capaz de reconhecer a projeção depois do fato. Não desanime; esse é o primeiro passo no sentido de remover a projeção e de integrar a Sombra. Mais tarde, você descobrirá que pode reconhecer a projeção no momento em que ela está acontecendo. Ou seja, você fica muito zangado, explode e imediatamente percebe que está projetando. Mais adiante, vai reconhecer sua raiva antes que ela exploda e, por isso, não precisará mais expressá-la assim.

Quando estiver se saindo melhor nesse processo, praticamente sempre haverá uma pausa entre o evento que detona a raiva em você e a manifestação dessa emoção. É então que você vai escolher entre expressá-la ou não, porque uma ou outra atitude é melhor naquelas circunstâncias. A supressão consciente da raiva é muito diferente de reprimi-la inconscientemente porque se tem medo de lidar com ela. A projeção é um processo inconsciente; assim que você se torna consciente de suas próprias projeções, elas gradualmente deixam de existir. As figuras da Sombra então passam para os sonhos, nos quais você pode trabalhar com elas com mais eficiência do que em suas atividades diárias.

Uma vez que estamos continuamente extraindo do inconsciente partes esquecidas da nossa personalidade das quais precisamos num dado momento do nosso desenvolvimento, mantemo-nos sonhando com a Sombra durante toda a nossa vida. Contudo, ocorre um estágio peculiar de trabalho com a Sombra ao longo do processo de individuação. Ou seja, assim que a consciência se envolve com o inconsciente para acelerar o processo da individuação, é típico toparmos com questões de Sombra. Também teremos pela frente questões de Anima e Animus, de Self, de complexos materno e paterno – arquétipos que vamos discutir nos próximos capítulos. Contudo, a maioria dessas questões da etapa inicial do processo de individuação diz respeito à Sombra.

O estágio da Sombra é aquele em que, no nosso desenvolvimento, somos forçados a admitir conscientemente que alguns traços indesejáveis de personalidade fazem parte de nós. Assim que tivermos passado plenamente por esse processo, ingressaremos num estágio distinto da nossa evolução. Embora outras figuras de Sombra apareçam no futuro, nunca mais teremos que aprender o processo de integração da Sombra. Assim que esta estiver integrada, passamos para o arquétipo seguinte, que Jung chamou de Anima/Animus.

Capítulo 6

A ANIMA E O ANIMUS

Todo homem contém em si a imagem eterna da mulher, não a imagem desta ou daquela mulher em particular, mas uma imagem feminina definida [...] O mesmo é verdade para a mulher: também ela tem a imagem inata do homem.

CARL JUNG

A Anima (termo latino para alma) é o aspecto feminino do inconsciente de um homem, e o Animus (termo em latim para mente ou espírito) é o aspecto masculino do inconsciente de uma mulher. Integrar a Anima ou o Animus é tarefa muito mais difícil do que integrar a Sombra.

A integração da Sombra exige um alto nível de coragem e honestidade, mas esse é apenas o primeiro passo rumo ao crescimento psicológico e espiritual. A aceitação da Sombra como parte da nossa personalidade requer que redefinamos quem somos e em que acreditamos. Temos de reconhecer que, de fato, temos necessidades e desejos que antes considerávamos sem valor ou imorais. A nova autodefinição nos força a encarar inevitavelmente um novo conjunto de escolhas morais. Antes de aceitar a Sombra, muitas atitudes seriam impensáveis porque "simplesmente não somos essa espécie de gente". Agora nossos horizontes estão mais amplos e percebemos que as situações que até então eram pretas ou brancas para nós aparecem a partir de agora em nuanças de cinza. Consequentemente, a transição do estágio da Sombra para o de Anima/Animus é frequentemente assinalado por alguma atitude da nossa parte que, em última análise, vai levar-nos a uma profunda conturbação emocional.

COMO JUNG DESENVOLVEU O CONCEITO DE ANIMA/ANIMUS

O conceito junguiano de Anima/Animus costuma ser criticado, atualmente, como uma concepção sexista. Numa época em que os valores das mulheres eram em grande extensão ignorados, Jung argumentava que o homem precisava chegar a um acordo com a sua dimensão feminina interior, e que a mulher teria o mesmo trabalho com as suas qualidades masculinas, para que pudessem tornar-se pessoas inteiras. Essa era e ainda é uma ideia radical. Infelizmente, em suas descrições da Anima e do Animus, Jung com frequência presumiu como inquestionável a universalidade dos traços masculinos e femininos de personalidade mais marcante em sua época. Isso é particularmente ofensivo para

Figura 11. Quando estamos lidando com a Anima ou o Animus, somos frequentemente forçados a escolher entre aqueles valores que mais prezamos, numa acentuada semelhança com o enredo da *Ilíada*, em que Criseida se achou dividida entre o "amor imorredouro" que sentia por Troilo e o novo amor que sentia por Diomedes. (*Troilus and Criseyde*. Reproduzido de *William Morris: Ornamentation & Illustrations from the Kelmscott Chaucer.*)

algumas mulheres, pois a última coisa que o contingente feminino precisa hoje é de uma teoria que predefina o que as mulheres são ou não são capazes de fazer.

Estamos apenas começando a pensar com mais profundidade a respeito das semelhanças e das diferenças entre homens e mulheres. Nesta etapa inicial de nossas pesquisas, ninguém sabe ao certo quais aptidões e traços de personalidade são culturalmente impostos a homens e mulheres, e quais são inatos. Como todas as questões sobre a controvérsia natureza *versus* aprendizagem, a situação é complexa e não se presta a generalizações fáceis. Contudo, é óbvio que os homens limitaram artificialmente as possibilidades sociais para as mulheres, em quase todas as culturas. As mulheres modernas estão demonstrando que podem fazer praticamente tudo o que os homens fazem, se lhes for dada uma oportunidade.

Como se dava praticamente com todas as suas descobertas, Jung chegou originalmente ao conceito de Anima/Animus por uma questão de necessidade, e o foi desenvolvendo ao longo do tempo, à medida que seu conhecimento foi aumentando. Como você estará lembrado do Capítulo 4, foi esse mesmo padrão que ele seguiu para desenvolver sua teoria dos tipos psicológicos. Primeiro ele tinha pensado que bastava separar as pessoas em introvertidas e extrovertidas, as que vivenciam o mundo pelo prisma subjetivo ou objetivo, respectivamente. Ele pensava que os introvertidos usavam antes de qualquer coisa o processo do pensamento para entender uma coisa do começo ao fim, ao passo que os extrovertidos respondiam às pessoas e aos objetos do mundo por meio de seus sentimentos. Ele foi percebendo gradualmente que o pensamento e o sentimento (e, mais tarde, a sensação e a intuição) eram dimensões independentes da personalidade, que poderiam ser intro ou extrovertidas.

Assim, também a formulação inicial de Jung para o conceito de Sombra como o "outro" que contém nossas características reprimidas ou subdesenvolvidas estava mesclada à conceituação da Sombra como uma figura arquetípica que personificava o mal. Uma vez que a Sombra, como qualquer invariante cognitivo, é de ordem coletiva, jamais chegaremos ao fim dela. Assim que integrarmos todas as nossas qualidades pessoais ignoradas na Sombra, ainda permanecerão outros atributos tão alheios a nós que jamais os integraremos em nossa personalidade. No inconsciente eles estarão necessariamente associados ao mal, uma vez que se situam muito longe de nossas vivências. Mas isso não é o mesmo que dizer que a Sombra é o mal, e nem mesmo que é a Sombra coletiva que permanece depois de termos integrado nossas características pessoais da Sombra. Significa apenas que a relação entre o consciente e o inconsciente é por demais complexa para ser encaixada em categorias fáceis.

Jung continuou preocupando-se com o conceito do mal ao longo de toda a sua longa vida profissional e ainda estava escrevendo a respeito em suas últimas obras. Embora esteja evidente em seus trabalhos que ele tinha bastante clareza a respeito de tudo que está exposto acima, nunca conseguiu separações tão claras a esse respeito como as que estipulou para seus tipos psicológicos. Infelizmente, o conceito de Anima/Animus sofre da mesma falta de discriminação clara.

Mais ou menos na mesma época, Jung desenvolveu o conceito de Anima/Animus e sua teoria dos tipos psicológicos. No final do livro *Tipos Psicológicos*,[1] ele incluiu 80 páginas de definições. Cada uma delas é um maravilhoso miniensaio que resumia suas ideias nessa etapa inicial do seu pensamento. A definição em questão não é denominada Anima ou Animus, mas alma. Jung afirmava que todos contemos uma personalidade autônoma que estrutura a nossa vida interior e é projetada no mundo. Essa personalidade é o que homens e mulheres de todas as eras e lugares têm denominado alma.

Jung logo se deu conta de que precisava encontrar um termo neutro que não contivesse nuanças religiosas (em especial da tradição cristã), como as que o termo "alma" havia adquirido com o correr dos anos. O conceito religioso de alma tem uma história muito longa, que remonta à Índia de cerca de 3 mil anos atrás. No decorrer dos milênios desde então, ele adquiriu uma aura de conotações doutrinárias, específicas das culturas em que se desenvolvera. Por exemplo, tal como se ensina no cristianismo moderno, a alma é a porção eterna de uma pessoa, que habita o corpo enquanto ela vive e depois o abandona na morte. Isso não é o que Jung queria dizer ao usar essa palavra. Seria inútil Jung

---

1 Carl Jung, *The Collected Works*, vol. 6.

pedir que homens e mulheres modernos deixassem de lado tudo o que houvessem aprendido acerca da alma, desde que eram crianças, para poderem retornar às suas próprias vivências. Sendo assim, ele precisava de um novo termo.

O vasto conhecimento junguiano de sonhos, mitos e contos de fada convenceu-o de que os homens percebiam sua alma como uma figura feminina, e as mulheres, como uma figura masculina; por isso, decidiu usar os termos latinos *Anima* e *Animus* como substitutos para "alma". No seu miniensaio sobre a alma em *Tipos psicológicos*, esse conceito ainda era tão novo que ele só empregou a palavra Anima duas vezes e Animus, uma vez. Mas, depois de ter chegado a essa terminologia, passou a valer-se exclusivamente dela pelo restante de sua vida e nunca mais retomou o conceito de alma.[2]

DOIS ASPECTOS DA ANIMA/ANIMUS

Como discutimos extensamente no material anterior sobre a Sombra, quando a vida se unilateraliza, quando estão esgotados todos os nossos recursos conscientes, somos forçados a recorrer ao inconsciente. Lá, os próprios traços de personalidade de que necessitamos personificam-se como Sombra. Quer apareçam em

[2] Para os que se interessarem pela história do conceito de alma, considero altamente recomendável o livro de John A. Sanford, *Soul Journey: A Jungian Analyst Looks at Reincarnation* (Nova York: Crossroad Publishing Company, 1991).

nossos sonhos, quer sejam projetados em outras pessoas de nosso mundo, com o tempo nossa consciência acaba sendo forçada a confrontar esses atritos da Sombra. Quando começamos a enfrentar com mais honestidade o fato de que os possuímos, as figuras da Sombra desenvolvem-se dentro do inconsciente. Com o tempo, as qualidades necessárias tornam-se tão integradas à personalidade que passam a fazer parte de nós. Nesse ponto, aparecem em nossa vida as questões associadas à Anima ou ao Animus.

Essa é a cadeia de eventos como normalmente se apresentam à psicologia junguiana. Embora razoavelmente próximos da realidade, necessitam de certos reparos. Na realidade, assim que integramos os aspectos pessoais da Sombra na personalidade, aparecem duas questões que costumam ser confundidas porque ambas são representadas em nossos sonhos (e nas projeções que são feitas no mundo externo) por figura do sexo oposto:

1) *outras questões pessoais da Sombra*, que aparecem disfarçadas porque a Sombra agora é representada por uma pessoa do sexo oposto. Então, quando essas qualidades forem integradas à personalidade, encontraremos um verdadeiro invariante cognitivo;
2) um *arquétipo impessoal, coletivo, de relacionamento* entre nós e o mundo, tanto interno como externo, que é o que Jung chamou de Anima/Animus. Isso é representado pelo sexo oposto porque a nossa relação com o outro sexo é a relação fundamental da nossa vida adulta.

Aquilo que estou citando como as características de Sombra da Anima/Animus, Jung apresentou como os conteúdos inconscientes da Anima/Animus que poderiam ser integrados na consciência. Quando se referia a Anima/Animus como a representação arquetípica do relacionamento, Jung descrevia-os como uma *função* por meio da qual nos relacionamos com o inconsciente coletivo, da mesma maneira como nos relacionamos com o mundo externo por intermédio da Persona.

Antes, porém, de explorarmos o aspecto arquetípico de Anima/Animus como a função impessoal do relacionamento por meio do qual o mundo é filtrado, falemos a respeito de uma questão mais simples: o aspecto Sombra da Anima/Animus.

ANIMA/ANIMUS COMO SOMBRA

Quer tenhamos, como seres humanos, aptidões e traços inatos estritamente baseados em nosso sexo masculino ou feminino, quer não, a cultura nos tem imposto essa espécie de distinção. Até pouco tempo atrás, os papéis de homens e mulheres eram acentuadamente repartidos. Em virtude de essa separação ter-se mantido durante milênios, certas maneiras de nos relacionarmos com o mundo acabaram incorporando-se no inconsciente como mulheres ou homens. Já deparamos com uma situação semelhante antes, com respeito à Sombra. As questões da Sombra são representadas nos sonhos dos caucasianos por negros, índios, hindus etc. (assim como, sem dúvida, os caucasianos representam a Sombra para os negros etc.), independentemente de fanatismos por parte do sonhador. O inconsciente é uma força natural como o oceano e os ventos; tal como essas forças naturais, o inconsciente é imune a nossos julgamentos morais.[3]

Não nascemos todos com aptidões e necessidades idênticas, como já mencionamos na nossa discussão dos tipos psicológicos. Jung identificou algumas dessas diferenças (extroversão e introversão, pensamento, sentimento, sensação e intuição) como funções psicológicas distintas. Cada pessoa se concentra em suas forças (aquelas aptidões contidas na nossa função dominante) até estarem altamente desenvolvidas (o pensamento, por exemplo). Depois, se dedica ao desenvolvimento de uma ou de ambas as funções auxiliares. (Neste exemplo, seriam a sensação e a intuição.) Provavelmente, nunca chegaremos a desenvolver por completo essas funções auxiliares; por certo, não na mesma medida em que nossa função dominante, mas podemos ir bem longe nesse sentido.

A função inferior (o sentimento, neste caso) é, porém, outra história. Como já ficou claro na nossa apresentação da Sombra, atingimos finalmente um ponto em que não podemos mais passar sem a nossa função inferior. Isso acontece porque ela é a única porta que nos dá acesso à vivência numinosa do inconsciente

---

3 Essa é uma excelente razão pela qual o inconsciente, tal como é representado nos sonhos, não deve ser obedecido às cegas.

coletivo. É essa busca do numinoso que nos impõe, enfim, o encontro com a Sombra.

Depois de termos lidado com sucesso com todas as partes da nossa função inferior (representada por alguém do mesmo sexo), o inconsciente tem que se voltar para as figuras do outro sexo. Ele não tem nenhuma outra alternativa. Bem, isso não ocorreria necessariamente assim numa cultura em que houvesse pouca separação de papéis entre os homens e as mulheres. Nossos sonhos poderiam continuar usando figuras do mesmo sexo, e a ambiguidade a que estou me referindo não existiria. Claro, também é muito provável que, nessa cultura, a Sombra não fosse necessariamente uma pessoa do mesmo sexo que o sonhador. A fórmula junguiana tradicional [mesmo sexo = Sombra, sexo oposto = Anima/Animus] deixaria de ser relevante. Mas não vivemos numa cultura dessas e, até onde se pode distinguir nessa altura dos conhecimentos a respeito de questões atinentes ao sexo, nenhuma cultura existiu até hoje com essas características.

> [...] se, como resultado de uma longa e minuciosa análise e da retirada das projeções, o ego conseguiu realizar uma separação bem-sucedida do inconsciente, a Anima vai aos poucos deixando de ser uma personalidade autônoma e vai se tornará uma função de relação entre a consciência e o inconsciente.[4]

---

[4] Carl Jung, *The Collected Works*. vol. 16, p. 504.

Separar as figuras contrassexuais da Sombra das figuras que representam a Anima e o Animus em sua função impessoal está longe de ser fácil e foi um aspecto do trabalho que Jung deixou em grande parte sem elaborações. Este é um problema tão espinhoso que até nos vem a tentação de dispensar por inteiro todo o modelo de Anima/Animus de Jung, mas isso seria o mesmo que jogar fora a água do banho com o bebê junto. Parece, de fato, ser verdade que nós estruturamos a realidade por meio de um invariante cognitivo que parece personificar no inconsciente a figura do sexo oposto. Contudo, nem todas essas figuras representam essa função. Ah, a vida é dura, não é mesmo?

Por sorte, podemos fazer uma boa parte do trabalho psicológico necessário sem reconhecermos em absoluto a distinção que fiz. Na medida em que um homem normal de nossa cultura tornar-se realmente mais sensível e receptivo (as necessidades normais do homem ocidental depois de ele ter esgotado a Sombra masculina), ou que a mulher tornar-se mais discriminativa e assertiva (as necessidades normais da mulher ocidental que já integrou sua Sombra feminina), ambos integrarão o aspecto contrassexual da Sombra e começarão a se relacionar de maneira mais consciente com a Anima e o Animus.

A parte árdua, mesmo nesses dias mais esclarecidos, é o homem reconhecer que a mulher pode ter traços de caráter que ele necessita e deseja ter (e vice-versa). Mais uma vez, porém, mesmo correndo o risco de ser redundante, esses traços não são necessariamente fixos para homens e mulheres em todas as culturas e épocas. E mesmo dentro de nossa própria cultura eles se ajustam fortemente a alguns homens e mulheres, menos intensamente a outros e não se ajustam em absoluto a outros ainda.

O quadro se torna bem mais nítido para aqueles membros de cada sexo cujas forças e fraquezas não são consideradas normais na nossa cultura, para seus respectivos sexos. Lembremo-nos do exemplo da garotinha que reprimiu sua aptidão mecânica. É muito improvável que ela encontre modelos desse papel em outras mulheres; em grande medida, ela será forçada a procurar nos homens aqueles traços peculiares de personalidade que só eles possuem em grande número, em nossa cultura. Da mesma maneira, os homens têm que parar de indagar, como o professor Higgins em *My Fair Lady*, "Por que a mulher não pode ser mais parecida com o homem?". Os homens têm que começar a perguntar "Como o homem pode ser mais parecido com a mulher?" (sem deixar de ser masculino).

Nos anos 1980, vi muitas tentativas de solucionar esse problema por meio da androginia: lembremo-nos de como era excitante (e um pouco assustador) Boy George no começo, com sua maquiagem, maneiras e roupas femininas. Ou Grace Jones, com sua aparência que era algo entre uma amazona e uma dominatriz. Essas imagens hoje parecem domesticadas e até ridículas. A androginia sexual não é a meta; é apenas uma tentativa intermediária de experimentar por algum tempo características que associamos ao outro sexo para descobrir como isso funciona. Em última análise, o homem tem de voltar a ser homem, e a mulher a ser mulher, dentro de suas culturas, mas por uma óptica mais ampla a partir da qual possam enxergar a realidade.

ANIMA/ANIMUS COMO O ARQUÉTIPO DO RELACIONAMENTO

> [...] A Anima nada mais é que a representação da natureza pessoal do sistema autônomo em questão. Qual a natureza desse sistema num sentido transcendental, ou seja, para além dos limites da experiência pessoal, é algo que não sabemos.

Defini a Anima como uma personificação do inconsciente em geral, e considerei-a a ponte para o inconsciente; em outras palavras, uma função da relação com o inconsciente.[55]

Depois de termos integrado os aspectos de Sombra de Anima/Animus, o que resta que seja mais bem representado pelo inconsciente através do sexo oposto? O relacionamento! O relacionamento entre um homem e uma mulher, uma totalidade que é maior do que cada um dos participantes individuais da relação. Esse relacionamento é tão significativo em nossa vida que filtramos uma grande parte de nossa percepção da realidade, seja da interna, seja da externa, por meio dessa experiência.

---

[5] Carl Jung, *The Collected Works*, vol. 13: *Alchemical Studies*, copyright © 1967 (Princeton: Princeton University Press), pp. 61-62.

Figura 12. Quando estamos lidando com a Anima e o Animus, o sentimento é muito parecido com o de um cabo de guerra, com Eros no meio. (Reproduzido de *1001 Spot Illustrations of the Lively Twenties*.)

O aspecto arquetípico da Anima e do Animus não é governado pelas características particulares do sexo oposto; é determinado pela relação que todos temos com alguém que necessariamente é diferente de nós e, apesar disso, não é visto como Sombra, como adversário.

Da mesma forma como o introvertido e o extrovertido percorrem seus caminhos característicos em meio à miríade de opções que a vida oferece, também nossa vida se estrutura por meio de comportamentos natos vinculados ao sexo e a estruturas arquetípicas que evidenciamos diante do sexo oposto. Quer dizer, comportamo-nos perante o mundo de maneira muito parecida ao que fazemos diante do outro sexo. Se nossa tendência é dominar o parceiro sexual, tenderemos a dominar as outras pessoas e situações. Se flertamos, mas não nos comprometemos com nossos parceiros sexuais, provavelmente lidamos da mesma forma com tudo o que entra na nossa vida. Isso é exatamente o que constitui a Anima e o Animus: uma estrutura interior por meio da qual filtramos praticamente tudo aquilo com o que nos relacionamos na vida, porque a relação adulta fundamental é entre o homem e a mulher.

Não há dúvida de que a situação da vida real é muito mais complexa do que esse resumo fácil. Existem muitas relações na vida que não aquelas que estabelecemos com o sexo oposto, como, por exemplo, com um filho como pai de um menino, como mãe de uma menina, com amigos, com colegas de escola, professores, colegas de trabalho, patrões etc. Todas essas relações funcionam como filtros por meio dos quais as experiências da vida passam para o plano de nossa consciência. Contudo, à exceção das relações infantis com os pais, nenhuma dessas outras são capazes de se comportar em força e complexidade à ligação que criamos com o sexo oposto.

Enquanto tivermos questões de infância por resolver envolvendo nossos pais, elas continuarão a ocupar o centro do palco da nossa vida adulta. Depois de terem sido solucionadas, nossa relação com o sexo oposto se torna a ligação fundamental da nossa vida adulta. Com muita frequência, é o próprio aparecimento do sexo oposto na nossa vida que enfim nos força a resolver as pendências da infância. Todo relacionamento forte o suficiente para nos arrancar das ligações e apegos infantis aos pais é de fato uma relação poderosa e, daí em diante, torna-se o nosso filtro psíquico fundamental.

O TUMULTO EMOCIONAL CAUSADO PELA ANIMA E PELO ANIMUS

> Devemos começar superando nossos virtuosismos, fruto de um justificado receio de cairmos no vício, do outro lado. Esse perigo realmente existe, pois o maior virtuosismo sempre é compensado, no interior da pessoa, por uma forte tendência ao vício – e quantos caracteres viciosos acumulam em seu íntimo virtudes sentimentaloides e uma megalomania moral.[6]

Todos os estágios da vivência da mulher pelos quais o homem passa – como mãe, irmã, namorada, parceira – são experiências havidas no mundo exterior, atinentes à primeira metade da vida. Da mesma forma como a Sombra chega para despertar em nós nossas necessidades interiores, assim que tem início a segunda metade da vida, a Anima e o Animus continuam o trabalho interior iniciado pela Sombra. Comecei este capítulo dizendo que o

---

[6] Citação de Jung, em Jolande Jacobi e R. F. C. Hull, orgs., *C. G. Jung: Psychological Reflections* (Princeton: Princeton University Press, 1973, Bollingen Series), p. 102.

ingresso no território da Anima e do Animus é provável que desencadeie um tumulto emocional. A diferença entre a luta durante o estágio da Sombra e a que é travada no do Animus/Anima é como a diferença entre admitir para nós mesmos que sentimos atração sexual por alguém e lidar no concreto com as mudanças que ocorrem na nossa vida depois de nos termos tornado sexualmente ativos. E trata-se de uma diferença deveras profunda.

Para integrar a Sombra, temos de aceitar que há pensamentos e desejos em nós que não se ajustam à imagem cristalina que fazemos de nós mesmos. Temos de aceitar que existem em nós mais elementos do que o papel que desempenhamos perante a sociedade ou em casa. Temos de parar de condenar os que estão à nossa volta e concordar com o fato de que o problema está em nós. E depois, devemos parar de nos condenar também. Temos de compreender que aquelas qualidades aparentemente horríveis que tentamos exorcizar de nós podem ser de alguma utilidade, ter algum sentido na nossa vida.

Isso exige uma coragem e uma honestidade enormes e uma grande dose de trabalho paciente. Contudo, a maior parte do trabalho que fazemos para integrar a Sombra na personalidade é voltada para o inconsciente pessoal. No cerne da Sombra está um invariante cognitivo do temido "outro" que transcende nossa experiência pessoal e que, portanto, é coletivo. Mas as qualidades que integramos na personalidade são as nossas próprias (embora às vezes nós as desqualifiquemos). Assim que deixamos de lutar contra elas, podemos sentir a força do reconhecimento.

A Anima e o Animus são coisas muito diferentes. Na próxima seção, discutirei técnicas práticas para integração da Anima e do Animus, acompanhando ainda o percurso mais recente desse desenvolvimento arquetípico.

ANIMA/ANIMUS EM NOSSOS SONHOS

> [...] O mundo é vazio apenas para quem não sabe como dirigir sua libido para as coisas e as pessoas, para torná-las cheias de vida e lindas. O que nos compele a criar um substituto que nasça de dentro de nós não é uma falta de algo externo, mas a nossa própria incapacidade de incluir qualquer coisa de fora de nós em nosso amor.[7]

A Anima e o Animus aparecem nos sonhos de maneira muito mais complexa do que a Sombra. Hoje sabemos que o que parece ser o arquétipo Anima/Animus pode, na realidade, ser outro estágio da Sombra, necessariamente representado por figuras do sexo oposto. Isso está com frequência representado por uma figura que combina a Sombra com a Anima ou o Animus (o caucasiano pode ver uma figura de pele escura do sexo oposto etc.).

Quando a pessoa tem questões não resolvidas relativas à sua relação com os pais (e quem não as tem?), a Anima ou o Animus costumam misturar-se com o arquétipo Mãe ou Pai, nos primeiros

---

[7] Carl Jung, *The Collected Works*, vol. 5, p. 253.

estágios dos sonhos. Uma das manifestações mais comuns disso, para o homem, é uma mulher atraente e dominadora que tanto o atrai como o assusta. Se o homem não conseguiu separar-se de maneira bem-sucedida de sua mãe (e, lembrem-se, estamos falando não só de sua mãe física, mas também de sua mãe arquetípica), a mulher em seus sonhos pode de fato até devorá-lo. Esses sonhos refletem o conflito entre o desejo de conforto e segurança (representado pela mãe) *versus* o desejo pela paixão e pela excitação (representado pela parceira sexual). Existem tantas variações sobre esse tema quantos homens e mulheres sobre a face da Terra.

Costuma-se ler com frequência, em textos da literatura junguiana, que a Anima aparece nos sonhos masculinos como uma sucessão de mulheres individuais bem definidas, e o Animus aparece nos sonhos de mulheres como grupos de homens relativamente indefinidos. Embora essa noção em geral seja aceita, nunca encontrei nenhuma confirmação para ela, examinando tanto os meus próprios sonhos como os de pacientes, amigos e conhecidos. O que constatei é que homens e mulheres costumam sonhar com figuras singulares, definidas, embora às vezes ambos sonhem com grupos de figuras indefinidas. (Nessa altura, estou certo de que os leitores identificam esses grupos de figuras indefinidas como representações iniciais da Anima e do Animus.)

O companheiro do sonhador, ou uma outra pessoa significativa em sua vida, aparece nos sonhos muito mais vezes do que qualquer outra figura do sexo oposto. Frequentemente essa pessoa é apenas o que aparenta ser – a pessoa real. Nesses casos, o sonho está apresentando algum conflito entre o sonhador e seu parceiro, conflito que está pedindo para ser resolvido. Mas, com mais frequência ainda, o parceiro é mais outra representação das qualidades contrassexuais do sonhador. Afinal de contas, temos mais probabilidade de generalizar a respeito do sexo oposto com base no que ficamos conhecendo no curso normal da nossa vida. Nesses casos, é útil pensar no parceiro como o representante daquelas qualidades do sexo oposto que nos parecem conhecidas e compreendidas.

DEUSES E DEUSAS EM NOSSOS SONHOS

Com frequência, a Anima e o Animus aparecem nos sonhos como figuras de deuses e deusas. Atualmente, o mais perto de divindades que temos são as celebridades e por isso as figuras famosas que encontramos em nossos sonhos devem ser consideradas os deuses e deusas contemporâneos. Por isso torna-se importante considerar o que um deus ou deusa representa.

Lembram-se do esforço que Jung fez para entender as diferenças de temperamento entre Freud e Adler, e entre ambos e ele mesmo? Isso levou-o a perceber que os seres humanos enquadram-se num número delimitado de tipos diferentes de personalidades. A partir disso ele desenvolveu seu sistema de tipos psicológicos para explicar essas diferenças. Basicamente, esse sistema divide as pessoas em pares de opostos, com base num conjunto de características que Jung descobriu serem fundamentais a todos os seres humanos (introversão × extroversão, pensamento × sentimento, sensação × intuição). Esse procedimento lembra o modo como os antigos gregos identificavam os quatro tipos básicos de personalidade – os humores – baseando-se nas polaridades quente × frio e seco × úmido.

Existe, no entanto, uma maneira alternativa – e igualmente antiga – de classificar as diferenças de personalidade. Em lugar de ir em busca de polaridades subjacentes, você identifica tipos particulares de pessoas baseando-se em alguma característica predominante de personalidade que sobrepuje tudo o mais, por exemplo, o "miserável", a "sedutora". A vantagem de criar categorias é que novas categorias podem ser acrescentadas toda vez que um novo tipo for identificado. A desvantagem é que não existe um método sistemático vinculando todos os tipos de personalidade; em pouco tempo podemos ter centenas de tipos de personalidade, ou mesmo milhares. Mas, na prática, essas categorias costumam limitar-se a um número relativamente reduzido de personalidades.

Numa ampla variedade de culturas antigas, cada traço de personalidade valorizado pela cultura em questão era personificado por um deus ou uma deusa. Por exemplo, a força bélica era personificada pelo deus romano Marte, pelo deus grego Ares, pelo nórdico Thor etc. Na década atual (1990), essa força é representada por personalidades do mundo cinematográfico, como Sylvester Stallone ou Arnold Schwarzenegger. Nos tempos antigos, a sagacidade astuta e maliciosa era representada pelo deus romano Mercúrio, pelo deus grego Hermes, pelo deus nórdico Loki. Atualmente, Eddie Murphy ou Billy Crystal nos ocorrem mais de pronto. Para os romanos, Vênus era a encarnação do amor e da beleza; para os gregos, era Afrodite. Mais do que qualquer outra celebridade, Marilyn Monroe representou esse arquétipo, mas figuras contemporâneas como Julia Roberts e Madonna competem como representantes de aspectos extremos de Vênus/Afrodite.

Qualquer traço que seja para nós admirável, desejável, temível será provavelmente projetado num deus ou numa deusa. Quando ainda acreditávamos numa variedade de deuses e deusas, altares eram erguidos em honra dessas figuras, e eram-lhes oferecidos sacrifícios para obter seus favores. Os deuses e as deusas favorecidos numa dada época eram facilmente reconhecidos pelo número de pessoas que iam até seus santuários, e pela opulência das oferendas deixadas em seus altares. Se um altar não estava sendo frequentado e encontrava-se coberto de hera, podia-se ter certeza de que as características daquele deus ou deusa não eram mais altamente valorizadas ou temidas pela sociedade. Hoje analisamos o afluxo às bilheterias para avaliarmos de forma instantânea que deuses ou deusas estão nas graças dos meros mortais.

Toda figura divina que já existiu ainda existe em algum ponto da memória ancestral que todo ser humano possui. A humanidade não mudou muito ao longo dos últimos um ou dois milhões de anos (dependendo de quem está contando) da história humana.

Há mais semelhanças do que diferenças entre nós e nossos parentes habitantes das cavernas ou das savanas africanas. Um número até escasso de traços apareceu no início da história da raça humana e permaneceu em grande medida intacto no decorrer de todos esses anos. A história dos deuses e deusas é uma história das variações sobre esses tipos humanos eternos (se não estritamente eternos, de evolução *tão* lenta que até parecem sê-lo).

Embora possamos alimentar devaneios a respeito de conhecer uma estrela do cinema ou um astro do rock (lembre-se, eles são os deuses e as deusas da atualidade), ficaríamos sem dúvida petrificados se isso realmente viesse a acontecer. Nós os dotamos de tal perfeição inumana que uma relação real seria impossível. Mas os nossos sonhos não param nesse ponto; assim como os mitos ancestrais adoravam apresentar histórias de deuses e deusas que passeavam pela Terra em relações com pessoas comuns, nossos sonhos nos levam a estar junto de nossos deuses atuais.

Quando necessitamos nos relacionar com o mundo de uma maneira nova e diferente, nossos sonhos produzem um deus ou uma deusa que possui as habilidades de que estamos carentes. Opomo-nos à Sombra porque não queremos mudar. Caímos de amores por um deus ou deusa porque é tudo que um dia quisemos possuir. Com a Sombra, temos de identificar os traços que ela representa e de que necessitamos. Com a Anima/Animus, temos de perceber que nem sempre é conveniente olhar para outrem para obtermos um significado para a nossa vida. A Sombra transforma-se em figuras mais e mais familiares até ela e nós

Figura 13. Na mitologia, cada deus ou deusa representa basicamente um determinado traço humano, aumentado para uma proporção mais que humana. Para os romanos, Vênus representava a beleza feminina. Os deuses e as deusas ainda aparecem em nossos sonhos e projeções embora, nos tempos atuais, seja mais provável que apareçam como astros do cinema ou estrelas do rock. (*Venus and Cupid*. Reproduzido de *Pictorial Archive of Decorative Renaissance Woodcuts*.)

Figura 14. Para os romanos, Marte era a representação da força masculina. Hoje, Marte assume a forma de Arnold Schwarzenegger ou de Sylvester Stallone. (*Mars.* Reproduzido de *Pictorial Archive of Decorative Renaissance Woodcuts.*)

chegarmos a ser uma coisa só. A figura de Anima ou de Animus vai se transformando até tornar-se alguém com quem nos sintamos confortáveis, de maneira humana.

PROJEÇÕES DE ANIMA/ANIMUS

> Quando projetada, a Anima sempre tem uma forma feminina dotada de características definidas. Esses dados empíricos não significam que o arquétipo seja constituído deles. A sizígia masculino-feminina é apenas uma das possibilidades de formação de pares de opostos, conquanto seja a mais importante e a mais comum[...] O arquétipo em seu estado latente, não projetado, não tem uma forma exatamente determinável, mas é, em si, uma estrutura indefinida que pode assumir formas definidas somente mediante uma projeção.[8]

Lidar com a Anima ou com o Animus é muito mais difícil porque esse processo está um degrau mais para o fundo rumo ao inconsciente coletivo. Não estamos mais no âmbito de nossas qualidades pessoais, sejam elas conscientes ou inconscientes. Pelo contrário, estamos defrontando com *relacionamentos arquetípicos entre homens e mulheres*, que formam um par interno de óculos através dos quais são enxergadas todas as relações. Quando os homens e as mulheres se apaixonam, causam um choque aos seus sistemas. Todas

---

8 Carl Jung, *The Collected Works*, vol. 9, I, p. 142.

as regras ficam canceladas e eles se tornam inteiramente possuídos pelo objeto de seu amor. A vida só tem sentido quando estão com ele ou pelo menos pensando nele. Esse objeto de seu amor é a perfeição em si, muito além de qualquer recriminação ou crítica.

Já aprendemos o suficiente acerca da natureza da projeção depois do nosso trabalho com a Sombra para saber que as projeções revelam mais a nosso respeito do que a respeito do outro. Nenhuma pessoa real é tão maravilhosa assim, da mesma maneira como nenhuma pessoa de carne e osso é tão má quanto nossa Sombra nela projetada nos levaria a crer. Tal como acontece com a Sombra, quando nos apaixonamos estamos projetando nossas qualidades contrassexuais internas em alguém que serve de "gancho" conveniente.

Mais adiante, com a manutenção da relação, os enamorados começam a ver quem é a pessoa real por trás das projeções. Esse é um choque grande o bastante para, na maioria das vezes, encerrar o relacionamento! Muitas pessoas nunca vão além disso em qualquer relação; elas simplesmente se apaixonam em série, sem jamais aprofundar seu envolvimento com o sexo oposto e, portanto, sem jamais chegar a reconhecer as partes contrassexuais de sua própria personalidade. Todos conhecemos pessoas que continuam cometendo os mesmos erros fatais em suas relações sexuais, sem nunca aprender com eles, sem nunca reconhecer a natureza repetitiva de seus romances.

Felizmente, a maioria aprende com a experiência própria. Os adolescentes flertam para aprender como é o sexo oposto e, com base nessas experiências, aprendem a seu respeito. Nossos primeiros amores podem ser governados por projeções sobre "ganchos" tão débeis que, depois, nem conseguimos reconhecer o que era que pensávamos ter visto na outra pessoa. Há alguns anos, conversei com uma moça muito inteligente a respeito do que ela gostava num flerte. Uma das condições era que o rapaz tivesse um carro vermelho. Ela disse que isso a excitava. E insisto que se tratava de uma moça inteligente.

Li recentemente um artigo num jornal em que a moça, repórter, discutia as mudanças existenciais pelas quais havia passado depois de ter tingido o cabelo de loiro. De repente, praticamente todos os homens começaram a se comportar de modo francamente sexual em relação a ela. Os homens com quem já tivera um vínculo casual tornaram-se de repente "paqueradores" ou mostraram-se sexualmente constrangidos. O cabelo loiro foi o bastante para servir de "gancho" para suas projeções de Anima.

> [...] a projeção é um processo inconsciente e automático por meio do qual um conteúdo inconsciente para o sujeito se transfere para um objeto, de tal modo que parece fazer parte deste. A projeção cessa no momento em que se torna consciente, quer dizer, quando começa a ser vista como atributo do sujeito.[9]

[9] Carl Jung, *The Collected Works*. vol. 9, I, p. 121.

Tal como acontece com a Sombra, precisamos parar de projetar a Anima/Animus nas pessoas do mundo exterior e, em vez disso, aceitar que aquelas características estão dentro de nós. Isso pode ser mais difícil com a Anima ou o Animus do que com a Sombra. Quando estamos projetando a Sombra no mundo, inevitavelmente entramos em conflito e esse conflito tem a possibilidade de, com o tempo, forçar praticamente todos (exceto os mais obstinados) a examinar seus valores. A projeção de Anima/Animus pode, em vez disso, fazer com que a vida seja uma caça contínua de amores em série. Essa pessoa costuma ser alguém literalmente apaixonado pelo outro sexo, mas também, muitas vezes, um "enamorado" de vários sistemas de crenças em série, de diversos tipos de passatempos etc.

Espera-se que, com o tempo, a pessoa comece a perceber que os sucessivos fracassos em seus relacionamentos (com pessoas, sistemas de crenças etc.) são culpa sua, e não do outro. Uma vez que as duas metades de um relacionamento estão igualmente envolvidas, são necessárias as duas para que ele funcione, mas apenas uma para destruí-lo. Temos de descobrir como resolver essas questões tanto no plano da vida interna como no da vida externa.

UNIÃO DE OPOSTOS

> [...] Historicamente, encontramos a Anima, acima de tudo, nas sizígias divinas, nos pares de divindades masculino-femininas. Por um lado, estes atingem as profundas obscuridades

> da mitologia primitiva e, por outro lado, alçam-se ao plano das especulações filosóficas do gnosticismo e da filosofia clássica chinesa, nos quais o par cosmogônico de conceitos é designado *yang* (masculino) e *yin* (feminino). Podemos com segurança asseverar que essas sizígias são tão universais como a existência do homem e da mulher. A partir desse fato podemos concluir com alguma margem de acerto que a imaginação do homem é contida por esse motivo, de tal sorte que ele foi em grande medida compelido a projetá-lo vezes e vezes, em todas as épocas e lugares.[10]

Vivenciamos a Sombra como aquilo que é completamente diferente de nós, totalmente o "outro". Se reconhecemos a Sombra, chegamos com o tempo a descobrir que ela é, na realidade, uma parte necessária da nossa personalidade. Chegamos então ao que tenho caracterizado como o estágio de Sombra da Anima ou do Animus. Mais uma vez, nossa experiência inicial é de algo totalmente diferente daquilo que nós consideramos ser. Descobrimos depois que aqueles traços até então tidos como exclusivos do sexo oposto também nos pertencem. Em ambos os casos, se nos examinarmos de perto o suficiente, veremos que estamos nos esquadrinhando a nós mesmos, como se estivéssemos diante de um espelho.

---

[10] Carl Jung, *The Collected Works*, vol. 9, I, p. 120.

Quando chegamos à Anima/Animus arquetípica, novamente vivenciamos algo que é oposto a nós. Mas, desta vez, ao ir mais fundo, não nos vemos olhando para nós do outro lado; em vez disso, está o nosso complemento, aquilo de que precisamos para ficar inteiros. Pense em todos os pares de opostos com que lidamos diariamente – quente/frio, ativo/passivo, duro/macio, pensamento/sentimento, sensação/intuição, agressivo/receptivo etc. Cada termo é definido pelo seu oposto; sem o calor, não há o frio; sem o frio, o que significaria o calor? Quando pensamos em qualquer uma dessas qualidades pareadas, sempre temos o oposto em mente, conscientemente ou não.

Separar esses pares de opostos em grupos, e depois denominar um grupo de traços de feminino e o outro de masculino é, na melhor das hipóteses, uma tosca aproximação da realidade que todos experimentamos. Como todos os pares de opostos, masculino e feminino são inseparáveis como conceitos e cada um deles define o outro em grande medida. O *I Ching* usa os termos Yin e Yang para apresentar esse conceito de opostos pareados, e embora o Yin seja mais frequentemente associado ao feminino, e Yang ao masculino, nas palavras de Cole Porter, "não é necessariamente assim".

É significativo que o par Yang-Yin seja apresentado como um círculo dividido por uma linha sinuosa. Um lado é escuro; o outro, claro. Mas se olharmos com atenção, há um pequeno círculo escuro no meio do lado claro, e um pequeno círculo claro no lado escuro. E, dentro de qualquer um deles, iríamos encontrar o mesmo processo repetido ao infinito. Isso simboliza que a unidade no cerne da divisão é central ao entendimento do conceito oriental de Yin e Yang (e igualmente de Anima/Animus).

> Embora homem e mulher se unam, eles são, apesar disso, opostos irreconciliáveis[...] Esse par primordial de opostos simboliza todo par concebível de opostos que possa existir – quente e frio, luz e escuridão, norte e sul, seco e úmido, bom e mau, consciente e inconsciente.[11]

Se os homens e as mulheres têm papéis acentuadamente definidos dentro de uma cultura, então também terão uma Anima e um Animus acentuadamente definidos em seu inconsciente para complementar essa unilateralidade, de uma forma muito parecida àquela com que a Sombra complementa uma autodefinição por demais unilateral. Se porém olharmos mais de perto, descobriremos que a própria Anima contém traços masculinos que, por sua vez, a completam. Dentro do lado masculino estão outros traços femininos para complementá-lo e assim por diante. Se pudéssemos acompanhar o encadeamento do consciente ao inconsciente adentro cada vez mais fundo,

---

[11] Carl Jung, *The Collected Works*, vol. 12: *Psychology and Alchemy,* copyright © 1953, 1968 (Princeton: Princeton University Press), p. 192.

descobriríamos pouca ou nenhuma vivência masculina que não estivesse disponível às mulheres, assim como pouca ou nenhuma vivência feminina que não estivesse disponível aos homens.

Em outras palavras, a Anima e o Animus não são tanto definidos por seus traços particulares, estipulados para sempre, mas mais pela natureza complementar da relação entre o masculino e o feminino. Vivenciamos a psique assim como o mundo físico através dos óculos internos desse relacionamento complementar. Conforme se modifica esse relacionamento, também muda nossa perspectiva interior, ou seja, evoluem a Anima e o Animus.

Talvez, portanto, possamos entender um pouco mais o arquétipo Anima/Animus examinando a evolução histórica das relações entre homens e mulheres. Comecemos com a mais recente modificação relevante nas relações, a saber, o aparecimento do amor romântico.

Figura 15. A Anima dentro do Animus. Nossa psique compõe-se de camadas e camadas sobrepostas; quando lidamos com a Anima ou com o Animus, lidamos com toda uma cadeia de relacionamentos complexos e entre pares de opostos como o masculino-feminino. (Reproduzido de *1001 Spot Illustrations of the Lively Twenties*.)

A CAVALARIA E A LENDA DO GRAAL

O conceito de amor romântico é muito moderno: apareceu originalmente no século XII, sob a forma da arte do cavalheirismo. Um de seus elementos centrais era uma nova e peculiar variação da relação entre homens e mulheres – o amor romântico. Antes dessa fase, o mundo ainda não havia desenvolvido um conceito explícito de amor "puro" entre homem e mulher, imaculado quanto à sexualidade. Com o advento dos cavalheiros, os homens de repente desenvolveram uma visão ideal das mulheres, que funcionava de maneira claramente distinta da mera luxúria.

Nesta imagem idealizada, o homem considerava a mulher como uma criatura pura e impoluta, e a mulher via o homem como um ser corajoso e igualmente puro. A relação que havia entre eles ia além da "mera" sexualidade. O que tornava essa ideia tão inacreditável era o fato de ela já ser casada com um outro homem e de, portanto, ter uma indiscutível vida sexual ativa (dificilmente tão "impoluta"). No entanto, esse fato era inteiramente ignorado pelo homem, num nítido sinal de que estava vigorando uma projeção arquetípica. Por seu lado, a mulher projetava uma nova visão do amante como um cavaleiro virtuoso, capaz de superar todo e qualquer obstáculo ("matar qualquer dragão") para proteger a honra da mulher. Novamente esse conceito era isento de toda indicação sexual; o cavaleiro chegava a fazer voto de castidade (embora isso fosse mais honrado no plano ideal que no real).

Figura 16. O aparecimento do amor cortês na Europa do século XII foi o primeiro sinal de uma significativa transição psíquica. (Reproduzido de *Pictorial Archive of Decorative Renaissance Woodcuts.*)

O epítome desse modelo de cavaleiro foi Percival, ou Parsifal, e sua busca do Graal. A lenda do Graal teve um surgimento concomitante ao fenômeno da cavalaria e parece não ter precedente arquetípico. Em poucas palavras, a lenda começa com um rei idoso, ferido na coxa. Ele pode ser considerado o representante de uma abordagem masculina ultrapassada perante a vida. O ferimento na coxa simboliza o ferimento em sua natureza instintiva/sexual. Como o rei está acamado e mortalmente doente, todos os assuntos do reino sofrem uma estagnação. Quer dizer, o crescimento de coisa alguma não pode prosseguir enquanto não houver uma solução para esse problema. A única coisa que pode curar o rei é a taça do Graal: a taça em que Jesus elevou o vinho na Última Ceia e o transformou em seu sangue. O Graal simboliza o elemento feminino ausente que o rei idoso não possui mais em sua vida.

Somente um cavaleiro de intenções e ações puras poderá encontrar o Graal. Quer dizer, somente o homem capaz de relacionar-se com o feminino à parte de seus desejos sexuais pode chegar ao Graal. Claro que, se existe esse homem, ele *já* encontrou o Graal, ou seja, ele já localizou o elemento feminino perdido em seu íntimo. Nesse caso, não haveria necessidade de uma busca. Por conseguinte, o verdadeiro propósito da busca é confrontar o cavaleiro com uma série de provas que gradualmente o despertem para as partes femininas de sua verdadeira natureza. Infelizmente, em nenhuma das muitas versões da lenda do Graal o cavaleiro é totalmente bem-sucedido – e o motivo disso é que, nessa época, não havia maneira alguma de o masculino relacionar-se plenamente com o feminino, senão por meio da sexualidade. Estava começando a emergir uma nova forma de relação arquetípica, mas ainda em fase prematura.

Essa história diz respeito à busca masculina do elemento feminino ausente, e não à busca da mulher pelo masculino que falta, embora ambos os percursos sejam necessários. Isso ocorreu dessa maneira porque o mundo como um todo esteve sempre mais sob o controle dos homens e as perspectivas femininas não passaram de coadjuvantes, limitadas aos domínios do lar. Sendo assim, era altamente improvável que o homem conseguisse encontrar o feminino ausente antes que a mulher chegasse a uma posição equiparada à dele no plano social.

ANIMA/ANIMUS NOS RELACIONAMENTOS

Gradualmente, no transcorrer dos 800 anos seguintes, foi havendo certa integração desse novo aspecto da Anima e do Animus, como o evidencia a melhoria no *status* da mulher. Onde antes o casamento era um vínculo baseado na economia, hoje, nas assim chamadas nações desenvolvidas, é tido como inquestionável que o amor constitui a razão básica para um casamento. Esse fato conquistou uma aceitação de tal modo generalizada que, quando o amor termina, o casamento costuma ser basicamente dissolvido pelo divórcio. Essa é uma atitude extremamente recente que pode ser entendida como um experimento inédito na evolução da Anima e do Animus. Diante desse novo conjunto de regras, os homens e as mulheres têm sido forçados a encontrar parceiros que correspondam intimamente à sua personificação interior da pessoa ideal. Os altos índices de divórcios indicam que, na maior parte do tempo, essa tentativa não tem sido muito bem-sucedida.

Na nossa discussão da Sombra, já vimos como as projeções iniciais são vagas e imprecisas, bem distantes da Sombra particular de uma dada pessoa. Da mesma forma, as projeções de Anima/Animus iniciais são cruas e pouco têm a ver com a identidade contrassexual singular que buscamos.

Existe um impulso natural para a integração da Sombra que não ocorre necessariamente com respeito à Anima e ao Animus. Quando ignoramos os atributos da Sombra durante muito tempo, eles se projetam nas circunstâncias externas. E como normalmente estão associados a sentimentos negativos, criam pontos de atrito e de conflito no mundo exterior. Uma vez que a maioria das pessoas quer evitar conflitos, somos forçados a reconhecer até certa medida a nossa Sombra. Claro que dificilmente se pode dizer que isso seja universal. A Guerra Fria das projeções da Sombra entre Estados Unidos e Rússia durou mais de 40 anos. Todos conhecem pessoas que com o passar do tempo aumentam, e não diminuem, seu fanatismo e sua intolerância. Mas a maioria desenvolve mais tolerância, o que favorece o desenvolvimento de sua própria personalidade.

A projeção da Anima ou do Animus é mais complexa. Assim como acontece com as projeções da Sombra, quando a necessidade de uma ligação com as próprias qualidades contrassexuais se torna muito intensa, a Anima ou o Animus é projetado em alguém do sexo oposto. Nesse caso, porém, é uma atração vinculada a qualidades desejáveis que está sendo projetada, em vez de uma repulsa associada a sentimentos negativos. Em outras palavras, nós nos apaixonamos. É um sentimento maravilhosamente agradável estar perdido de amor. Mesmo o doce suplício de um amor não correspondido é preferível ao estado de ânimo tedioso e vazio em que transcorre praticamente a maior parte da nossa vida.

Infelizmente, quando vemos a pessoa real emergindo por detrás da projeção, é muito mais fácil romper o elo com ela e esperar até "se apaixonar" de novo, do que trabalhar para transformar o vínculo numa relação real.

Por outro lado, como somos atraídos pelo outro por quem estamos enamorados, e idolatramos cada uma das qualidades que vemos (muito embora não percebamos que essas são qualidades em grande parte nossas, e não do outro), podemos observar partes da nossa pessoa que de outra maneira nos passariam despercebidas e, assim, podemos nos relacionar com elas. A receptividade de uma mulher mobiliza a virilidade de um homem e vice-versa.

Tanto os homens como as mulheres aprendem como é maravilhoso se soltar e voltar a brincar, como fazem as crianças, tendo como parceiro lúdico aquele por quem estão apaixonados. Ambos

Figura 17. Animus no assento do motorista. Quando nos deixamos levar por estados peculiares de ânimo e por opiniões, é sensato lembrar que isso em geral se deve à Anima ou ao Animus que assumiu o comando da situação. (Reproduzido de *Humorous Victorian Spot Illustrations*.)

sabem como é relaxante ser capaz de abrir mão do controle, mesmo que somente no momento da descarga sexual. Cada qual aprende a respeitar o corpo porque o outro o deseja com tanta intensidade.

Se se desenvolve uma relação, revelam-se aspectos mais profundos. A mulher descobre a insegurança por trás de todas as bravatas masculinas e ama ainda mais o homem. O homem descobre que uma mulher aparentemente "fraca" costuma ser mais forte que ele quando uma crise real afeta suas vidas. A mulher percebe como é frágil a estrutura da abordagem masculina "racional" e aparentemente impenetrável à realidade.

As mulheres socam os punhos frustradas contra os muros da indiferença emocional do homem. Os homens chutam frustrados as paredes do retraimento emocional da mulher. Ambos devem aprender a conter essa frustração. As mulheres descobrem que o homem não consegue conter sua raiva sem descarregá-la por meio de alguma ação física (infelizmente, com excessiva frequência, traduzida no espancamento da mulher). Por outro lado, os homens descobrem como pode ser intensa a combustão da raiva da mulher, sem qualquer descarga física. Essas descobertas (e muitas outras) são em geral exclusivas à relação entre homens e mulheres. A menos que a pessoa persevere no relacionamento, essas descobertas recíprocas jamais poderão ocorrer e o homem e a mulher estarão mais pobres como pessoas por nunca as haverem saboreado.

Mencionei antes a constatação de George Vallant de que a mais segura predição de saúde mental era a capacidade de manter um relacionamento de longo prazo: "Não é que o divórcio seja ruim ou doentio, é que amar alguém por um prolongado período de tempo é melhor". Duas coisas acontecem quando amamos alguém por um tempo suficiente:

1) chegamos a conhecer bem a pessoa;
2) chegamos a nos conhecer melhor.

É por isso que eu disse que essa moderna transformação da relação de amor entre os sexos foi um experimento sem precedentes. Durante milhares de anos, a relação entre homens e mulheres manteve-se praticamente inalterada. Então, de súbito, uma coisa nova veio ao mundo – o amor romântico. E tudo daí em diante se modificou para sempre.

O MUNDO FEMININO AINDA POR VIR

> [...] A solene proclamação da Assunção de Maria que vivemos em nossos dias é um exemplo do modo como os símbolos se desenvolvem através das eras. O motivo propulsor por trás deles não decorreu de atos de autoridades eclesiásticas que haviam dado claras demonstrações de sua hesitação, ao adiar por mais ou menos cem anos essa declaração, mas veio das massas católicas, que insistiam com veemência cada vez maior nessa forma de público reconhecimento. Essa insistência, no fundo, é a ânsia do arquétipo em se tornar concreto.[12]

Jung pensou que tinha visto os primeiros sinais de algo momentoso quando a Igreja Católica formalmente proclamou a Assunção de Maria, mãe de Jesus, em 1950. (Para a teologia católica, a Assunção de Maria é a doutrina segundo a qual, depois

---

[12] Carl Jung, *The Collected Works*, vol. 9, II, p. 142.

de sua morte, Maria, como Jesus, foi corporalmente levada aos céus. Isso lhe confere um *status* singular – praticamente divino – uma vez que a doutrina católica ensina que corpo e alma separam-se no instante da morte, para se reunirem somente na ocasião do Juízo Final.) Jung achava que Maria representava o quarto elemento necessário – o elemento feminino – para completar a trindade formada por Deus Pai, Deus Filho e o Deus Espírito Santo. Dessa forma, seria a quaternidade que, para Jung, representava a totalidade. (Diremos mais a respeito de quaternidade e de mandalas, os símbolos internos da totalidade, no próximo capítulo, sobre o Self.)

Já em 1950 Jung teve ocasião de testemunhar o colapso de muitos valores masculinos que haviam governado o mundo por tanto tempo. Nós vivemos hoje os últimos dias do século XX, já presenciamos o desmoronamento de virtualmente todas essas estruturas – políticas, econômicas, científicas, culturais, religiosas etc. Todas as estruturas "racionais" que nos desenvolveram e sustentaram por tantos séculos tornaram-se, de uma hora para outra, inadequadas como recursos com os quais enfrentar a recém-manifesta complexidade do mundo.

Na nossa frustração diante dos velhos modelos, voltamo-nos para influências culturais antes basicamente ignoradas: a filosofia e o misticismo orientais, valores e cerimônias dos nativos americanos, por exemplo. Outro movimento que se destacou foi a Luta pelos Direitos Civis. Sem mais disposição para serem tragadas pelo caldeirão da maioria, grupos minoritários começaram a insistir na preservação de suas identidades peculiares. Mas talvez o mais importante de todos os novos elementos de mudança tenha vindo quando a "minoria majoritária" – as mulheres – entraram em cena: o movimento feminino.

Atualmente, vivemos num período rudimentar em que parece que tudo o que sabemos é que não sabemos praticamente nada. Os valores tradicionais não servem mais, mas ainda não sabemos o que pôr no lugar dessas convicções obsoletas. Em nenhum contexto isso está mais nitidamente simbolizado que nas cambiantes relações envolvendo homens e mulheres. Está claro para mim (e para muitos outros) que os valores femininos estão nos primeiros e embrionários estágios de se tornarem os valores dominantes. Embora os homens (e as mulheres mais à vontade com as regras masculinas) estejam lutando com unhas e dentes contra essas mudanças, os valores e as instituições masculinas estão gradualmente retrocedendo como se fosse o lento recuo da idade de gelo.

Vemos indícios da visão masculina de mundo por toda parte à nossa volta. Se a perspectiva feminina é de alguma maneira representada, só é percebida através dos óculos da Anima masculina e, por falar nisso, uma Anima crua e ainda não desenvolvida. Contudo, mesmo essa maneira de aparecer (por exemplo, na tácita aceitação da pornografia) é um sinal de que o feminino está vindo. (Não que as mulheres encorajem a pornografia; é que o feminino nos homens está emergindo quer eles queiram, quer não.) Não é provável que venhamos a presenciar a plena complexidade dos valores femininos enquanto as mulheres não estiverem ocupando posições de poder e prestígio e, infelizmente, isso ainda não aconteceu.

Não obstante, a Anima está sendo projetada no mundo e tanto homens como mulheres estão observando que o encaixe entre o feminino representado pela Anima e o feminino representado pelas mulheres de carne e osso é sem dúvida impreciso. Da mesma forma, uma mútua projeção Anima/Animus entre um homem e uma mulher individuais ou leva a um aprofundamento da relação para ambos (com o concomitante crescimento pessoal dos dois) ou a relação é desfeita, até que aconteça uma nova projeção. Até o momento, em termos da projeção mais ampla da Anima no mundo, ocorreram muito mais situações do segundo tipo que do primeiro. Mas alguns homens e mulheres estão "aprofundando a relação" entre o masculino e o feminino. E isso inevitavelmente continuará.

Os homens ocupam os postos de comando em toda parte, e os valores masculinos predominam. Portanto, desta vez caberá aos homens abrirem-se e aceitarem a semente do novo, acolhê-la em seu interior, contê-la com paciência e sofrer as dores do parto necessário para que ela possa nascer, nesse caso, trazendo à luz o novo mundo feminino. Por outro lado, as mulheres estão numa posição igualmente atípica. Plantaram a semente, e agora estão indóceis, andando para lá e para cá, ansiosas pelo momento desse nascimento.

Uma vez que é o feminino até então ausente que predominará no mundo futuro, é imprescindível que os homens cheguem a bom termo com a Anima. As mulheres também precisam reconciliar-se com o Animus no seu íntimo. Se isso não ocorrer, dar-se-ão por satisfeitas com uma mera troca de figuras no comando, cumprindo seu mandato, ainda pautadas pelos valores masculinos que continuarão vigorando, mesmo que expressos pelas mulheres. Quanto mais completamente as mulheres compreenderem tanto as forças como as fraquezas do ponto de vista masculino, mais elas serão capazes de conduzir de maneira bem-sucedida o novo mundo que está por vir.

Capítulo 7

O SELF

O Self pode ser a mais profunda personalidade do sonhador, o processo de desenvolvimento e a meta do processo, tudo isso reunido sob a égide de uma única entidade. O Self transcende igualmente todos os limites da moralidade pessoal, mas apesar disso possui uma ética justiceira, que em um nível muito profundo não pode ser contestada.

R. ROBERTSON

No Capítulo 5 definimos o Self, em breves palavras, como um modelo interior que estipula a pessoa que possivelmente nos tornaremos. Nesse sentido, é um objetivo sempre um pouco mais adiante e jamais plenamente alcançado. Mas o Self é muito mais que isso. É o "deus interior", a maior aproximação psicológica possível do que seja a divindade, capaz de produzir maravilhas e despertar o mais assombroso respeito que, em geral, associamos a encontros com a divindade. (Já aludimos a essa qualidade numinosa da função inferior.) Por fim, o Self também é a "função transcendente" que constela a totalidade e a ordem no cerne da psique.

O Self reveste-se de muitas formas personalizadas que variam desde animais, passando pelas humanas, até chegar às divinas. Ele, no entanto, pode expressar-se também por meio de formas impessoais – como um lago, uma montanha, uma rosa, uma árvore. Pode inclusive aparecer em formas geométricas abstratas chamadas *mandalas*, que discutiremos mais adiante neste capítulo. Sem dúvida, o Self – tanto como fonte do processo de individuação como seu fim último – coloca-se mais além de toda e qualquer definição rígida. Comecemos abordando o aspecto numinoso do "deus interior".

O DEUS QUE ESTÁ DENTRO DE NÓS

A integração da Anima e do Animus leva-nos, no seu percurso natural, de volta a "algo [que] nos é estranho e no entanto muito próximo, completamente nós mesmos e não obstante incognoscível, o centro virtual de uma constituição tão misteriosa que pode alegar o que for – desde parentesco com os animais selvagens até afinidade com os deuses, com os cristais e com as estrelas – sem

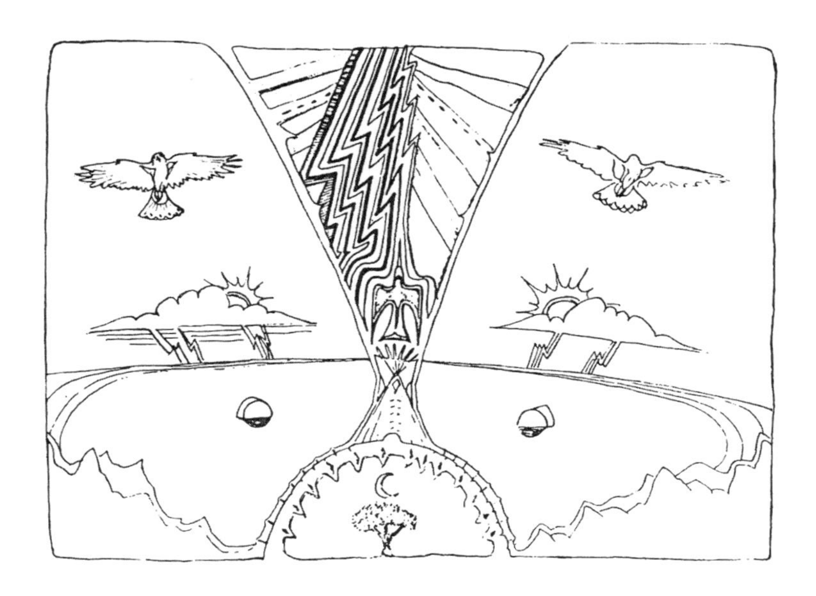

Figura 18. Self emergente. Só conseguimos encontrar o nosso Self essencial olhando profundamente para dentro de nós. Quando o Self emerge do inconsciente, ele em geral é acompanhado de "relâmpagos e trovões" que rompem por inteiro a simetria da nossa consciência até então dominante. (Desenho de paciente, 1981.)

que duvidemos, questionemos, nem sequer nos excitemos ou desaprovemos. Esse 'algo' alega tudo isso e muito mais, e pelo fato de nada termos em mãos que justifique de maneira razoável uma oposição a essas alegações, o mais sensato decerto é ouvir a sua voz [...] Chamei de *Self* a esse centro [...] Poderia ser igualmente chamado de 'Deus dentro de nós'".[1]

---

1 Carl Jung, *The Collected Works*, vol. 7, pp. 398-99.

Jung não estava afirmando nem negando a existência de um Deus literal. Estava descrevendo uma realidade psicológica, não uma realidade metafísica. Estava tão somente apresentando algo que havia repetidas vezes encontrado em seu trabalho clínico, em sua vida pessoal e em seus estudos da mitologia, a saber, que, atingida uma certa profundidade da psique, despertam forças numinosas, as quais para nós são de natureza divina.

Jung achava errado negar experiências psicológicas apenas porque não se ajustavam convenientemente ao sistema de crenças vigente. Sua abertura para fenômenos incomuns jamais o deixou, durante toda a sua vida. Ao nos lembrarmos do Capítulo 1, veremos que, ainda na universidade, Jung ficou estupefato diante da resistência de seus colegas, que se recusavam a sequer considerar a possibilidade de que pudessem ocorrer eventos paranormais. Embora eles menosprezassem tais eventos, para Jung sua inquietação não era compatível com suas supostas certezas. Jung acreditava que, se pessoas comuns tinham passado por experiências envolvendo, por exemplo, fantasmas, então estes deveriam corresponder a algo significativo no seu psiquismo, independentemente da existência física deles ou não.

Da mesma forma, Jung não conseguia aceitar a insistência de Freud de que ele deveria preservar a qualquer custo a psicanálise da "lama negra do ocultismo". Para Jung, todas as vivências humanas eram dignas de ser descritas e todo modelo de realidade digno desse nome teria que incluir todas as experiências humanas e não somente aquelas que se conformassem com certa teoria em particular.

Por haver apresentado o Self como realidade psicológica paralela ao conceito de Deus, Jung foi criticado tanto pelos religiosos como pelos materialistas. Os religiosos acusaram-no de tentar reduzir Deus a uma função psicológica, ao passo que os materialistas acusaram-no de tentar substituir a ciência pela metafísica. É tarefa árdua manter-se no fio de navalha entre ambos os campos, mas Jung estava disposto a tentar nada menos que isso.

Embora ele sempre tivesse negado com firmeza que seu modelo era de ordem metafísica, não deixava de afirmar que, se existisse Deus, o único meio de ele ser vivenciado seria através de alguma função psicológica tal como o Self. Em outras palavras, se já não temos dentro de nós uma vivência que corresponda à divindade, não nos é possível de modo algum apreendê-la. Independentemente de existir ou não um Deus literal, o fato de possuirmos como recurso inato um arquétipo do numinoso indica que ele é um componente necessário da totalidade psicológica.[2]

Ao apresentar seu modelo em três estágios para o processo de individuação, Jung estava tentando descrever fatos observáveis. Quando descreveu cada estágio em termos de uma figura personalizada – 1) a Sombra, 2) a Anima e o Animus, 3) o Self –, ele estava apresentando uma "descrição ou definição abreviada

---

[2] Carl Jung, *The Collected Works*, vol. 7, p. 402.

desses fatos".[3] Essa personalização não havia sido inventada por Jung: ele a observara em seus próprios sonhos e nos de seus pacientes. A própria psique optava por essa personalização.[4]

Uma coisa é negar a realidade literal da assim chamada experiência religiosa primitiva, e outra bem diferente é tentar negar a realidade psicológica dessa vivência. Qualquer pessoa que encontre o Self invariavelmente sente essa qualidade numinosa que associamos tão corretamente à divindade. Não se pode comunicar a experiência do Self para alguém que jamais tenha passado por ela, assim como não se pode descrever a experiência de amar para alguém que nunca se apaixonou.

---

[3] Carl Jung, *The Collected Works*, vol. 9, II, p. 63.

[4] Carl Jung, *The Collected Works,* vol. 13, p. 61. Leitores interessados devem também saber que Jung sempre se destacou de seu modelo para apontar não apenas suas vantagens mas também suas limitações e para sugerir a busca de outros modelos. O segundo grande modelo junguiano da psique decorreu de seu estudo da alquimia. Ele descobrira que, uma vez que os primeiros alquimistas ainda eram pessoas psicologicamente ingênuas, haviam projetado seus processos psicológicos nos seus experimentos. Por estarem esforçando-se por atingir o inatingível (a Pedra Filosofal que cura todas as doenças, transforma chumbo em ouro e confere imortalidade ao alquimista), jamais conseguiriam alcançar sua meta final – da mesma forma como é impossível algum dia integrar plenamente o inconsciente na consciência. Sendo assim, seus relatos experimentais descritos de maneira tão cuidadosa podem ser interpretados do ponto de vista psicológico como um modelo maravilhosamente completo para o processo do desenvolvimento psicológico. Infelizmente, os detalhes desse modelo alquímico estão além do escopo deste livro.

O Self não é limitado pelas nossas expectativas de moralidade; suas preocupações não são necessariamente as nossas. Esse aspecto amoral, inumano do Self é por demais negligenciado pelas pessoas que falam com ingenuidade do encontro com o Self Superior, com seu Anjo da Guarda. Encontros reais com o Self podem ser aterrorizantes e incompreensíveis.

Esse foi um aspecto que ocupou Jung durante toda a sua vida. Ele lidou mais plenamente com essa questão num ensaio escrito bem tarde em sua carreira, "Resposta a Jó".[5] Nele, Jung examina o comportamento de Jó com respeito a Deus e o comportamento de Deus com respeito a Jó, e descobre que Jó se sai melhor. Deus é apresentado nesse trabalho como uma entidade petulante e tirânica, além de irracional, ao passo que Jó é tanto leal quanto respeitoso e sensato. Jung achava que a história de Jó era um marco no processo de evolução da consciência, pois Deus viu-se forçado a reconhecer que Jó lhe era moralmente superior. Pela primeira vez, Deus viu-se forçado a considerar a possibilidade de um verdadeiro relacionamento com a humanidade, o que com o tempo levaria ao surgimento de Cristo, que combinava Deus e o homem num único ser.

Como seria de esperar, essa foi uma postura altamente controversa que conquistou muitos inimigos para Jung. Ele nunca conseguiu fazer seus críticos entenderem que ele estava falando

---

[5] Carl Jung, *The Collected Works*, vol. 11: Psychology and Religion: West and East, copyright © 1958, 1969 (Princeton: Princeton University Press), pp. 553-758.

de uma realidade psicológica, e não de uma realidade metafísica. Para ele, a Bíblia era um registro da evolução do conceito de divino formulado pela humanidade, ao longo de sua existência histórica. Quando falava do Deus da Bíblia, ele estava querendo dizer Self, o "deus interior". Jó representava o estado de desenvolvimento consciente da humanidade num momento irrepetível do tempo: daí em diante, consciente e inconsciente viram-se forçados a encontrar um ponto de aproximação.

Essa luta ainda prossegue dentro de nossas psiques individuais e se reflete em nossos sonhos. Todos nós chegamos a um ponto na vida em que não é mais suficiente viver a vida na inconsciência. Em nossas tentativas de nos tornarmos conscientes, somos forçados a trilhar uma longa jornada que inevitavelmente nos conduzirá – como Jó – a um confronto com o Self. Ali, seremos compelidos a reconhecer seu aspecto inumano, apresentado na história de Jó quando Deus diz a ele que criou o leviatã e o beemonte. O momento de despertar sempre é um esforço heroico, e poucos são os que possuem a coragem de Jó quando se veem expostos à aterrorizante energia do Self. Jó revela a reação humana adequada a um poder de ordem inumana: curva a cabeça e reconhece a força superior, mas não desiste de seus próprios valores! Jung teve uma imagem semelhante num sonho importante: ajoelhe-se, incline a cabeça, mas não permita que a testa toque completamente o chão.

A vivência do "deus interior" pode assumir muitas formas diferentes, desde uma crença literal que a pessoa pode alimentar de ter encontrado Jesus ou Buda, até o fervor religioso igualmente característico dos reformadores sociais, ou mesmo dos cientistas. Jung costumava assinalar que o zelo dos cientistas materialistas em descobrir os segredos finais do universo é, em sua essência, uma crença religiosa encoberta.

Um exemplo disso seriam os físicos nucleares de hoje, convencidos de que estão a um passo de apresentar uma "grande e abrangente teoria unificadora" que explicará tudo no universo, de uma vez por todas. Evidentemente, não existe uma explicação final desse teor. A ciência está baseada na natureza provisória de todas as suas teorias; afinal de contas, "leis" científicas são apenas modelos que provaram sua eficácia na descrição e na predição do comportamento natural. Com o tempo, todas as leis científicas serão ou derrubadas ou integradas em modelos de escopo mais abrangente.

É sensato estar ciente de que o Self é uma realidade psicológica e que um arquétipo está em funcionamento. A absoluta certeza de nossa vivência interior pode ter pouco ou nada a ver com sua verdade externa. (Este é um conceito que os fundamentalistas de todas as denominações deveriam ter em mente com mais frequência.)

MANDALAS

> Embora a "totalidade" pareça à primeira vista ser nada mais que uma ideia abstrata (como a de Anima ou Animus), é, apesar disso, uma realidade empírica na medida

> em que é antecipada pela psique na forma de símbolos espontâneos ou autônomos. Estes são os símbolos da quaternidade, ou mandalas.[6]

O Self apresenta-se à consciência numa estonteante variedade de formas. Essa é uma consequência simples do fato de o Self estar ainda mais distante do campo da consciência que a Sombra e que a Anima e o Animus. Todos os arquétipos são vivenciados como símbolos verdadeiros: os símbolos não podem ser reduzidos a uma única definição ou sinal; estão abertos a muitas interpretações. Mas, conforme vamos progredindo cada vez mais rumo ao inconsciente coletivo, o arquétipo vê-se forçado a expressar-se por meio de uma variedade ainda mais ampla de formas, quando se apresenta à consciência, para conseguir que sua mensagem seja recebida. E, uma vez que o Self é o arquétipo supremo, é o mais difícil de ser captado ou entendido.

Em nosso modelo progressivo de individuação, no qual a Sombra representa o "outro" repudiado, e a Anima e o Animus representam relacionamentos, o Self, no mais das vezes, representa a totalidade. Em sua forma abstrata mais extrema, ele assume a forma de figuras geométricas chamadas *mandalas*.

Mandala é um termo sânscrito que significa círculo. Tendo passado por um processo de generalização, é também usado para descrever um tipo de arte oriental religiosa estruturada em

---

[6] Carl Jung, *The Collected Works*, vol. 9, II, p. 59.

Figura 19. Figuras simétricas chamadas mandalas costumam aparecer em sonhos ou em desenhos espontâneos nos momentos em que a ordem psíquica está sendo recuperada. (Mandalas produzidas ao longo de um período de duas semanas em 1980.)

torno de círculos contidos por quadrados (ou, às vezes, nos outros polígonos regulares), ou vice-versa. Muitas pinturas religiosas em areia dos índios Navajo da América têm uma estrutura semelhante, e o mesmo acontece em numerosos outros símbolos religiosos de todas as partes do mundo. Nas tradições orientais, a mandala em geral é usada como objeto de meditação e contemplação, com a intenção de conduzir o meditante cada vez mais fundo no rumo de uma integração com a divindade (seja qual for a forma abstrata ou personificada que esta assuma nas variadas culturas).

Jung ficou fascinado pelo fato de as mandalas emergirem com muita assiduidade em sonhos de pacientes, quase sempre nas épocas em que estes estavam esforçando-se para recuperar sua totalidade interior. Segundo Jung, o círculo era a representação da totalidade última possível apenas ao Self. O quadrado era uma espécie de círculo inferior, representando a totalidade limitada, possível à consciência de ego individual. Mandalas, sendo a combinação de círculos e quadrados, refletem a tentativa da psique para "enquadrar" o círculo, trazendo a totalidade limitada possível ao indivíduo para a sincronia com o Self.

Apenas imagine que o quadrado dobra seus quatro lados para tornar-se um octágono regular e depois uma figura com dezesseis lados regulares, e assim por diante. Depois de algum tempo, seria impossível ao olho humano detectar a diferença entre as figuras de múltiplos lados e um círculo. Mas um microscópio de alta potência ainda conseguiria revelar que não se trata de um círculo.

Da mesma maneira como nos é possível acompanhar a progressão de um quadrado até que se torne cada vez mais um círculo, conforme vai dobrando o número de seus lados, podemos seguir a progressão da consciência rumo ao Self, observando a evolução desses símbolos de totalidade nos sonhos. Tal procedimento pode parecer inacreditável, mas Jung de fato acompanhou essa evolução dos sonhos, não apenas uma, mas duas vezes.[7]

Mais recentemente, a arteterapeuta Rhoda Kellog descobriu que os desenhos de pré-escolares evoluem de rabiscos iniciais para cruzes, para cruzes com círculos, e esta última é uma forma mandálica básica. Suas primeiras tentativas de desenhar uma figura humana completa quase que invariavelmente não são as figuras de pauzinhos que seriam de se esperar, mas sim círculos.[8]

É importante entender o que a totalidade significa na psique. A maioria está acostumada a metas lineares: buscamos a perfeição, não a completude ou a totalidade. Se obtemos a nota 8 num trabalho, tentaremos chegar a 8,5 no próximo, depois 9, 9,5 e 10. Quando chegamos a 10 e não temos mais aonde ir nesse sentido, vamos atrás de outro objetivo. Nossos objetivos morais são essencialmente os mesmos: negamos as trevas e buscamos a

---

[7] Carl Jung, "A Study in the Process of Individuation", *The Collected Works,* vol. 9, I, pp. 525-626; e "Individual Dream Symbolism in Relation to Alchemy", *The Collected Works*, vol. 12, pp. 44-331.

[8] Ver Edward Edinger, *Ego and Archetype* (Baltimore, MD: Penguin Books, 1972), p. 8, onde se encontram detalhes e reproduções dos desenhos de crianças. [*Ego e arquétipo*. São Paulo: Cultrix, 2ª ed. 2020.]

luz, cobramo-nos cada vez mais perfeição etc. Mas, assim como descobrimos ao estudar a Sombra, luz não é suficiente. Uma personalidade bem-acabada também precisa da escuridão.

> [...] senão a pessoa jamais atingirá aquele moderado grau de modéstia que é essencial à manutenção de um estado equilibrado. *Não é uma questão, como se poderia pensar, de relaxar os próprios parâmetros da moralidade, mas de realizar um esforço moral em outra direção.*[9]

"Um esforço moral em outra direção" – estranho conceito para aqueles de nós criados segundo as veracidades americanas, em que se supõe que a moralidade seja simples, direta e objetiva, ditada por um guia interior – a nossa consciência. Infelizmente, essa suposta consciência nada mais é do que a internalização dos pais e de todas as demais vozes de autoridade que ouvimos ao longo de nossa vida. A voz do Self é uma coisa muito diferente; tem uma autoridade que transcende aquelas vozes parentais. E seu conselho não é a busca da perfeição – é a busca da totalidade.

A FUNÇÃO TRANSCENDENTE

Quando refizemos o caminho da individuação, começamos com a descoberta de Jung de que não existe um único caminho apropriado

---

9 Carl Jung, *The Collected Works*, vol. 9, II, p. 47: grifo meu.

de desenvolvimento para todas as pessoas porque elas são tipos psicológicos diferentes. Por exemplo, um caminho apropriado para um tipo sentimento introvertido é muito diferente do que é adequado ao pensador extrovertido. São pessoas tão diferentes na sua maneira de abordar a realidade que seria criminoso forçar um ou outro a ser o que não é.

Descobrimos que, à medida que a vida vai evoluindo e as pessoas se tornam por demais estabelecidas em seus tipos pessoais, a Sombra aparece. É fascinante observar que a Sombra não assume uma forma única. Os vários tipos psicológicos têm Sombras com características de personalidade muito diferentes, embora todos no início percebam a Sombra como algo repelente e assustador. Esse ajustamento da Sombra para adaptar-se a nossas necessidades individuais é um indício de que "uma função transcendente" existe com capacidade para englobar tanto nossa personalidade consciente como nossa Sombra.

Pense em como tudo isso é de fato muito esquisito. Como pode ser que em cada estágio do nosso desenvolvimento o inconsciente seja capaz de compensar apropriadamente os nossos radicalismos conscientes? Isso parece indicar que deve existir alguma espécie de definição interior de qual deva ser o nosso Self ideal, em cada momento do nosso desenvolvimento. De que outro jeito explicar o fato de nossos sonhos refletirem com grande aproximação nossa realidade exterior quando estamos perto desse ideal, e mostrarem-se tão distantes dela quando nos afastamos demais desse ideal?

Você talvez se recorde que no Capítulo 2 Konrad Lorenz foi citado pela descoberta do processo de *imprinting* em animais. Em breves palavras, comportamentos inatos (que Jung chamou de arquétipos e eu de invariantes cognitivos) eram acionados por estímulos externos apropriados em momentos decisivos, ao longo do desenvolvimento do animal. Embora eu tivesse então usado o exemplo de um filhote de ganso projetando o arquétipo da Mãe em Lorenz, existe uma imensa variedade de invariantes cognitivos que passam pelo processo de *imprinting* durante o desenvolvimento do animal.

O famoso biólogo e psicólogo infantil Jean Piaget registrou cuidadosamente um processo semelhante em termos do desenvolvimento epistemológico das crianças humanas. Várias aptidões são acionadas exatamente nos momentos adequados do desenvolvimento de uma criança. Antes dessa época, é inútil tentar forçar a criança a se comportar de uma maneira para a qual não está pronta, como um precoce treino à toalete. Um dia, a criança mostra-se incapaz de absorver um conceito e, de repente, parece que da noite para o dia ela não terá mais nenhuma dificuldade com ele.

O estudo feito por Jung a respeito do processo da individuação, tal como nossos sonhos refletem, revela que esse é um processo exato. Em cada momento de nosso desenvolvimento, nossa psique contém uma imagem do que podemos ser, do máximo de nosso potencial. Esse Self ideal é o centro em torno do qual tanto nosso ego consciente como nossa Sombra inconsciente giram, em perfeito equilíbrio. Quando nossa personalidade consciente se afasta em demasia desse ideal, constela-se no inconsciente uma figura de Sombra compensatória. Quando nossa personalidade consciente se aproxima excessivamente desse ideal, também assim se dá com a Sombra, e ela se mostra menos maldosa e desprezível e se aproxima mais de nossa personalidade consciente. Essa função transcendente literalmente transcende tanto a consciência como o inconsciente.

> Nada há de misterioso ou de metafísico a respeito do termo "função transcendente". Ele significa uma função psicológica comparável em seu *modus operandi* a uma função matemática do mesmo nome, que é uma função de números reais e imaginários. A "função transcendente" psicológica decorre da união entre os conteúdos conscientes e inconscientes.[10]

Espero que os leitores me acompanhem numa breve apresentação da história matemática das funções transcendentes. Prometo que não aborrecerei muito e que esses dados ajudarão a esclarecer um pouco mais o Self. As funções transcendentes que Jung menciona são, na matemática, mais geralmente chamadas de "números complexos". Para a solução de várias equações, os matemáticos descobriram que a raiz quadrada de (-1) aparecia

---

[10] Carl Jung, *The Collected Works*, vol. 8, p. 131.

como parte da resposta. No início, esses resultados foram descartados por questão de princípio, pois como é que algum número poderia ter uma raiz quadrada negativa?[11]

Era, no entanto, tão útil fingir que esses números poderiam existir que os matemáticos continuaram empregando-os. Para indicar que eles na realidade não acreditavam que aqueles existissem, denominaram-nos de imaginários e usaram a abreviatura "i" para indicar tais números. Foi assim que conseguiram compor os "números complexos" (ou "funções transcendentes", na terminologia de Jung), usando combinações entre números reais e números imaginários (por exemplo: [3 – 5i]; [–5 + 2i] etc.).

Logo depois, no início do século XIX, um dos maiores matemáticos de todos os tempos, Karl Friedrich Gauss, apareceu com uma interpretação geométrica que tornou os números imaginários conceitos aceitáveis. Imagine duas linhas formando um ângulo reto entre si. Qualquer coisa na linha horizontal à direita do ângulo é um número positivo (+1, +2, +3...), e qualquer número à esquerda é negativo (–1, –2, –3...). O ponto em que ambas se encontram é chamado de "origem" e tem valor = 0. Qualquer coisa na linha vertical acima da origem é um número positivo imaginário (+i, +2i, +3i...) e qualquer coisa abaixo da origem é um número imaginário negativo (–i, –2i, –3i...).

---

[11] Raiz quadrada de um número é o número que, quando multiplicado por si mesmo, chega ao número original. Por exemplo, +2 ou –2 servem como raiz quadrada de +4, pois (+2) × (+2) = +4 e (–2) × (–2) = +4.

Qualquer ponto definido pelas duas linhas pode ser localizado em termos de sua distância à direita ou esquerda do ponto de origem, e acima ou abaixo dele. Por exemplo, o ponto 2 está a duas unidades à direita da origem e acima dela e só pode ser designado pelas coordenadas (2, 2). Da mesma forma, (3, –6) seria um ponto a três unidades à direita da origem e 6 abaixo dela. (3, –6) representa não só esse determinado ponto do plano, mas também a expressão matemática (+3, –6i). De repente, os problemas matemáticos que envolviam números complexos puderam ser simplesmente descritos pelo desenho de várias figuras geométricas no plano.

Se isso parecer exótico, trata-se do mesmo sistema que usamos para dar endereços em cidades grandes (norte-americanas), como "rua 87 leste, nº 524". As ruas são dispostas em ângulos retos umas em relação às outras e são numeradas em ambas as direções. A localização de uma casa qualquer pode ser descrita com exatidão pelos dois números – a rua com seu número (87 leste) e o da casa (524).[12]

Está bem, basta de matemática. Vamos apenas examinar essa história matemática e ver como ela pode esclarecer o conceito junguiano de uma função transcendente psicológica. No início, quando os números imaginários apareceram como solução para as equações, os matemáticos ignoraram-nos tanto

---

[12] Sou profundamente grato ao analista junguiano J. Marvin Spiegelman pela descoberta de que os números complexos são uma metáfora para a relação entre o ego e o Self.

quanto possível. Aos poucos, começaram a empregá-los e até mesmo desenvolveram um sistema simbólico para usá-los, mas ainda condenavam-nos como "imaginários". No entanto, estavam dispostos a combinar os assim chamados "números reais" com os "números imaginários" para criar os "números complexos" (ou "funções transcendentes", segundo a descrição de Jung). Por fim, Gauss percebeu que os matemáticos estavam se restringindo desnecessariamente ao limitar seu âmbito de referência à linha dos números positivos e negativos. Ampliou então o campo de discussão para o plano como um todo, e os números complexos tornaram-se simples descrições de localizações no plano.

Compare isso ao conceito de inconsciente coletivo. No início, os psicólogos preferiram ignorar essa possibilidade. À medida que os arquétipos coletivos foram se expondo e invadindo cada vez mais os sonhos, muitos psicólogos começaram a usar interpretações que dependiam do conhecimento de histórias arquetípicas como a mitologia. Mas ainda insistiam que estavam apenas discutindo metáforas. Se algo como o Self deveria existir como uma combinação entre o consciente (portanto real) e o inconsciente (portanto imaginário), só poderia ser uma metáfora. Jung dizia que estava na hora de reconhecer a realidade dessa função transcendente. Para tanto, precisamos ampliar nosso eixo de referência, saindo das pautas lineares da consciência para chegarmos ao plano que inclui tanto o campo da consciência como o inconsciente.

A partir disso podemos nos encaminhar agora para a apresentação das considerações práticas ao abordarmos o Self.

O SELF NOS SONHOS

Mostramos como as imagens mandálicas ocorrem em sonhos na ocasião em que a psique está tentando resgatar sua totalidade. Muitas delas falam de uma tentativa de chegar à "quadratura do círculo". Da mesma forma, os sonhos que exibem combinações de três e quatros também aparecem nessas etapas. Como já mencionamos antes, Jung considerava a Trindade Cristã uma quaternidade incompleta, porque lhe faltava o elemento feminino. Num ciclo onírico, os sonhos com três aparecem quando está começando a despontar uma resolução para um dado problema. Quando o assunto evoluiu o suficiente para que a psique esteja pronta para sanar esse seu aspecto, os três dão lugar aos quatros.

As mandalas de vez em quando aparecem de maneira direta num sonho, na forma de figuras geométricas abstratas, como um triângulo dentro de um quadrado (ou variações mais exóticas desses temas). Com mais frequência, porém, a imagem da mandala será encontrada na estrutura da ação do sonho. Por exemplo, um amigo contou que num sonho em que estava jogando cartas usou três maços de baralhos. Tinha oito 3 na mão (quando o 4 progride para tornar 8, depois 16, 32 etc., estamos tendo uma indicação de que a questão progrediu bem, pois um 8 é uma espécie de super -4 nos sonhos).

A imagem da quadratura do círculo pode ter a forma de um sonho em que um grupo de pessoas move-se dentro de um círculo numa sala quadrada. Em sonhos iniciais do processo, o aposento costuma ser um retângulo exagerado que lentamente vai se tornando quadrado em sonhos mais adiantados. As pessoas deslocam-se pela sala em sentido horário (para a direita, para o lado da conscientização), quando um assunto está emergindo do inconsciente para a consciência, e no sentido anti-horário (para a esquerda, para o lado do inconsciente), quando está refluindo da percepção consciente, rumo ao inconsciente.

Quando a totalidade é resgatada no psiquismo, costumam aparecer alguns exemplos dramáticos de mandalas nos sonhos: por exemplo, uma ilha circular com uma cidade quadrada no meio. No meio da cidade, uma série subsequente de formas circulares e quadradas aparece e culmina num castelo, numa igreja etc. O próprio Jung teve um sonho destes num ponto crítico do seu autodesenvolvimento, e esse sonho levou-o a compreender o Self.

> [...] É desnecessário dizer que o Self também tem o seu simbolismo teriomórfico. A mais comum dessas imagens, nos sonhos modernos, segundo minha experiência, é o elefante, o cavalo, o touro, o urso, aves brancas e negras, peixes, serpentes. Ocasionalmente, vemos tartarugas, lesmas, aranhas e besouros. Os principais símbolos vegetais são a flor e a árvore. Dentre os produtos inorgânicos, os mais comuns são a montanha e o lago.[13]

---

[13] Carl Jung, *The Collected Works*, vol. 9, II, p. 356.

Sonhos teriomórficos, nos quais o Self se reveste da forma de um animal, são em geral sonhos numinosos que deixam o sonhador em estado de profundo assombro quando desperta. Essa sensação numinosa excede muito o conteúdo onírico patente, e é uma indicação da poderosa força arquetípica do símbolo. Esses sonhos costumam assinalar as primeiras manifestações do Self, semelhantes ao aparecimento inicial da Sombra como uma criatura inumana. Contudo, a reação onírica aos animais que representam o Self é de deslumbramento (ou de deslumbramento mesclado com medo), em vez de repulsa, como a que sentimos pela Sombra inumana.

Quando um animal exibe um senso de afastamento, como se o mundo que habita tivesse pouca ou nenhuma ligação com a humanidade, isto serve de pista para o fato de o animal estar representando o Self. Os répteis são os que melhor tipificam essa qualidade de sangue frio. Na nossa discussão anterior a respeito do modelo triuno de cérebro proposto por Paul MacLean, vimos que existe em nós um cérebro réptil que vivencia a realidade tanto quanto os répteis a vivenciaram há um quarto de bilhão de anos. Essa é uma época muito remota da história, mas mesmo então a evolução da vida já havia avançado em cerca de 2 ou 3 bilhões de anos. O Self reflete não só o breve período da história humana (que facilmente confundimos com a totalidade da história), mas também aqueles 2 ou 3 bilhões de anos.

Os répteis – em especial as serpentes – costumam aparecer nos sonhos numa época em que está começando um novo ciclo de vida.

Figura 20. Self animal por trás das grades. Uma vez que muitas vezes vivenciamos o Self como inumano e aterrorizante, ele costuma ser representado nos sonhos como um animal poderoso, como um leão ou um urso. Em virtude do nosso medo, devemos tentar manter esse poderoso lado instintivo por trás das grades, escondido da consciência, mas ele sempre emergirá de tempos em tempos. (De *Don Quichotte de le Manche*. Reproduzido de *Dore's Spot Illustrations*.)

Elas são um resquício do aspecto gemelar do Self: o poder e a sabedoria instintivos. Uma primeira abordagem sensata do Self é vê-lo como o corpo/mente total, especialmente se pensarmos no Corpo com maiúscula, para indicar alguma coisa mais que uma máquina. A autorregulação psíquica é muito mais sintônica com a autorregulação do corpo do que com algum agente independente sentado a distância de nós, observando cada gesto que executamos.

Mas, assim que começamos a pensar que podemos limitar a psique a alguma reação super-hormonal, ela de repente nos surpreenderá com a profundidade de seu conhecimento. Jung costumava acentuar que pode ser mais sábio tratar o Self menos como instinto e mais como um Deus. Novamente, Jung não estava fazendo um julgamento metafísico ao dizer isso; ele já havia observado que, quando o inconsciente é abordado com reverência, a vida corre mais fluida.

Na qualidade de imagens do Self, os animais muitas vezes presidem as transformações que aparecem nos sonhos. A famosa história de Kafka, *Metamorfose*, na qual o protagonista desperta e se vê transformado numa barata, é um exemplo de uma recorrente imagem de transformação. Depois de termos passado por uma mudança significativa em nossa vida, especialmente se não nos dermos conta de que isso aconteceu, o mundo se torna muito estranho e a única autoimagem satisfatória é de algo grotesco e inumano, como a barata de Kafka.

A montanha, o oceano e a árvore são imagens frequentes do Self, mas ele também pode aparecer em formas mais simples e menos exaltadas, como uma flor (em geral, uma rosa), um lago tranquilo, um caminho sinuoso. Jung estudou a imagem da árvore nos sonhos e nas pinturas de pacientes, assim como na mitologia, e publicou seus dados num extenso ensaio intitulado "A Árvore Filosófica".

> [...] Se uma mandala pode ser descrita como símbolo do Self visto num corte transversal, então a árvore representaria a visão em perfil do mesmo: o Self visto como um processo de crescimento.[14]

Árvores são imagens excepcionalmente sutis do Self como "processo de crescimento". O tronco vive e cresce no mundo tal como o conhecemos (e como todos fazemos). Desse ponto fixo, espalha-se nas direções gêmeas do céu e da terra. As raízes aprofundam-se no solo, o que significa o "alicerce" instintivo de toda a vida. (Desprovidos de nossos instintos, nós perecemos com tanta certeza quanto uma árvore perece sem suas raízes.) Mas a árvore precisa igualmente criar galhos e folhas que se estendam rumo ao céu, para absorver a energia do sol. Essa é uma imagem perfeita da necessidade humana de valores espirituais: sem uma profunda e permanente conexão com algo maior que o humano, feneceremos e morreremos.

A árvore é uma metáfora tão boa que muitas vezes aparece nos sonhos em momentos decisivos do nosso desenvolvimento.

---

[14] Carl Jung, *The Collected Works*, vol. 13, pp. 304-482.

Por exemplo, um paciente sonhou que estava num parque repleto de árvores. Quando olhou com mais atenção, percebeu que as raízes das árvores não só entravam pelo solo como também se levantavam do chão em muitas direções. Ao olhar ainda mais detidamente, percebeu que todas as árvores estavam ligadas por um único sistema de raízes. Depois, aos poucos, ele foi entendendo que o sistema de raízes espalhava-se pelo planeta inteiro, abrangendo todas as árvores, de todas as florestas – uma imagem maravilhosa da interdependência e da interligação de todas as formas de vida.

Já mencionei que imagens animais do Self aparecem em momentos-chave de transformação na nossa vida. Dois deles ocorrem quando 1) integramos a Sombra e prosseguimos com o trabalho para lidar com a Anima e o Animus; e 2) mais tarde, quando integramos a sizígia e lidamos agora diretamente com o Self.

Em ambos, é provável que tenhamos sonhos nos quais o momento de transição é refletido no sonho numa transformação evidente, e é provável que nele apareça alguma imagem do Self. Por exemplo, no ponto de integração da Sombra, um paciente sonhou que observava alguém passeando pela orla da água, na praia. De repente, outro homem – em quem o sonhador pensou como "o espião" (a Sombra) – correu até o primeiro homem, agarrou-o e jogou-o dentro da água. Um minuto depois, o primeiro homem apareceu sozinho, mas o sonhador sabia que ele era na realidade o espião. Nesse momento de constatação e entendimento, ele e o homem que passeava tornaram-se um só.

Depois, ele se viu nadando numa imensa piscina, com uma mulher adorável (a Anima). A certa distância, contemplando a paisagem, estava seu avô, um homem poderoso e sábio (o Self).

Num sonho de integração da Anima, um homem sonhou com um homenzinho minúsculo e uma mulher (a Anima) com poucos centímetros de altura – que no sonho pareceram normais. Um grande lagarto supervisor, com vários metros de comprimento, entrou na sala. O homem ficou em pé, atento, mas não temeroso. A mulher entrou em pânico, correu e depois caiu no chão. O lagarto aproximou-se dela, depois desfez-se numa nuvem e entrou nela pela sua boca. Dentro de um instante, ela pareceu estar se transformando de dentro para fora, até existir de novo outro lagarto, que parecia um pouco diferente do primeiro. O homem estava longe demais para vir em ajuda da mulher e observava a cena com uma espécie de indiferença.

Esses sonhos de transformação soam assustadores à consciência vígil, mas possuem uma qualidade de serem corretos, durante o sonho, outro sinal seguro da presença do Self.

A PERSONALIDADE-MANA

> [...] personalidade-mana é um ser repleto de uma qualidade oculta e sedutora (*mana*), dotado de conhecimento e poderes mágicos.[15]

[15] Carl Jung, *The Collected Works*, vol. 7, p. 375.

Assim que a Anima e o Animus foram integrados na personalidade, aparece uma figura de transição que prefigura o Self, e, na realidade, é uma versão inferior dele. Jung chamou-o de "personalidade-mana" ou, alternadamente, o "mágico".

Os melanésios usam a palavra *mana* para denotar uma força impessoal, sobrenatural, que pessoas ou objetos possuem. Os antropólogos rapidamente se deram conta de como era maravilhoso esse termo geral, e começaram a usar a palavra "mana" para descrever uma grande variedade de crenças semelhantes nas culturas tradicionais. Por sua vez, Jung apropriou-se da mesma em suas leituras antropológicas. Tanto Jung como os antropólogos concordariam decerto se disséssemos que o mana está na mente de quem observa e não no objeto em si. Contudo penso que a maioria dos antropólogos considera o mana um derivado cultural, ou seja, alguma pessoa ou coisa só possui mana porque as pessoas dessa cultura concordam que assim é. Por outro lado, Jung diz que uma pessoa ou objeto possui mana porque isso representa um arquétipo; ao longo de sua incrivelmente longa história os arquétipos acumulam mana em si mesmos.

No Capítulo 2, expusemos como Jung chegou à descoberta dos complexos dentro da psique. Como vocês podem se recordar, ele descobriu que, quando eram destrinchadas as camadas de associações pessoais emocionalmente densas que se haviam agrupado em torno do complexo (por exemplo, o complexo da mãe ou do pai), em vez de uma difusão da energia ele chegava a um cerne arquetípico impessoal que era ainda mais emocionalmente denso.

No início, Jung usou a palavra *libido* (o termo de Freud para a energia sexual) a fim de mencionar essa energia, mas libido, para Jung, não se limitava à energia sexual. Mais tarde, ele usou o termo mana para representar essa energia impessoal; mais frequentemente ainda, ele a chamava apenas de energia. No restante deste livro, usarei indiferentemente "mana" e "energia".

A descoberta essencial é que os arquétipos possuem mana e que esse mana nada tem a ver com conexões emocionais pessoais com o arquétipo. Quanto mais fundo atingirmos no inconsciente coletivo, maior o mana. Quando começamos o processo de individuação e encontramos a Sombra, temos de lutar não só com problemas pessoais, mas também com o arquétipo coletivo do temido "outro", que está por trás de nossos medos pessoais.

À medida que vamos trabalhando com a Sombra, vamos percebendo que a nossa raiva e o nosso desprezo dirigem-se na realidade a nós mesmos. Quando as vendas de nossas projeções caem, descobrimos que temos esperanças e desejos, aptidões e possibilidades que não estavam contidos na nossa autoimagem original. Essa autoimagem agora se sente comprimida num espaço muito exíguo. Mas, embora a Sombra seja uma figura coletiva conhecida por todas as culturas, ainda não mergulhamos bastante fundo no inconsciente coletivo. Enquanto estamos lidando com a Sombra, a maior parte de nosso esforço é voltada para o nosso inconsciente pessoal.

No nível da Anima e do Animus, estamos basicamente lidando com a experiência coletiva, embora, no começo, lidemos com o aspecto Sombra da Anima e do Animus, ou seja, uma luta em grande parte travada nos domínios de nosso inconsciente pessoal. Depois, mesmo quando já estamos no aspecto arquetípico da Anima e do Animus, boa parte do tempo lidamos com dificuldades pessoais em nossos relacionamentos. Mas o verdadeiro poder da Anima e do Animus vem da experiência coletiva da humanidade para lidar com o problema da relação, especialmente da relação entre o homem e a mulher.

Nossos embates com a Anima e o Animus são muito mais difíceis do que os que tivemos com a Sombra, porque a sizígia é um passo mais profundo dentro do inconsciente coletivo. Sendo assim, a Anima e o Animus têm muito mais energia que a Sombra. O Self está ainda mais distante da consciência e, nessa medida, torna-se ainda mais difícil reconhecer de forma consciente sua presença como parte de nossa psique individual – e ele possui ainda mais energia.

Com a Sombra, dizemos "isso não sou eu" e retorcemos os lábios num movimento de repugnância. Com a Anima e o Animus, dizemos "isso não sou eu", mas é provável que sintamos interesse (embora envolto em receio, talvez). Com o Self, dizemos "isso não sou eu", e curvamos a cabeça ou saímos correndo de medo. O Self definitivamente parece estar mais além do nosso poder humano de compreensão. Não obstante, ele também faz parte de nós. Sem ele, seríamos algo menos do que completamente humanos.

Os que são corajosos o bastante e felizardos o suficiente para integrar a Anima e o Animus, "engolem" muita energia coletiva à qual não têm direito e, depois de algum tempo, percebem que ela é altamente indigesta. Nas primeiras vezes em que tentam digeri-las, incham e pensam que se tornaram guardiães do conhecimento secreto que está além do escopo dos homens e das mulheres normais. Em termos junguianos, ficaram "inflacionados" – estão repletos de mana que não lhes pertence.

As pessoas que trilham conscientemente o caminho da individuação fariam melhor em reconhecer quando estão inflacionadas. As pessoas que trazem figuras numinosas do inconsciente até a consciência, por meio de interpretações de sonhos, de imaginação ativa etc., vão invariavelmente alterar entre acessos de inflação e depressão. Isso pode ser tão evitado quanto não ficar molhados se entrarmos no mar. Temos de reconhecer quando estamos muito cheios de nós, e depois esvaziar conscientemente essa inflação; ou reconhecer a depressão como igualmente inumana e retomar a conexão com o mundo.

A constatação importante é que essa energia mais que humana que estamos sentindo não é nossa; ela pertence ao acervo histórico da humanidade e está contida pelos arquétipos. Enquanto estivermos nas garras dos arquétipos, somos literalmente inumanos, meras figuras sem contorno elaboradas pelos séculos para caber em todas as situações e momentos. Aprisionados por essas garras, não podemos nos desenvolver nem mudar.

Infelizmente, muitas pessoas nunca ultrapassam o estágio da personalidade-mana. Elas assumem o manto do mago ou da bruxa, do guru ou do sábio, do velho sábio ou da feiticeira. Ou projetam essa imagem em alguém e assumem o papel igualmente raso de discípulo de um mestre. Nenhum desses dois papéis promete um desfecho feliz. Esses términos gêmeos são especialmente prováveis nas tradições espirituais que não lidam de forma progressiva com a Sombra e com a Anima e o Animus, mas que tentam avançar diretamente rumo a algum valor último, como a Luz, o Nirvana, a união com Deus etc.

Os confrontos com a Sombra e a sizígia ajudam a desenvolver os músculos psíquicos e morais que servem muito para o trabalho com a personalidade-mana. As pessoas que integraram a Sombra jamais esquecerão quanto estavam iludidas a respeito de seus pensamentos e desejos. As pessoas que integraram a Anima e o Animus jamais esquecerão quanto estavam iludidas a respeito de seus sentimentos e valores. A humildade que se desenvolve dessas vivências é uma poderosa armadura contra as inflações.

AUTORREALIZAÇÃO

Assim que houvermos ultrapassado a ilusão de sermos a personalidade-mana, somos forçados a nos perguntar quem somos realmente. Mais do que em qualquer outro estágio do processo de individuação, a questão da autodefinição assume agora uma proporção inadiável. Nessa altura dos acontecimentos, estamos sendo continuamente expostos a uma porção de nós mesmos que é o melhor do que jamais conseguiremos ser. Na verdade, ela contém possibilidades que excedem nossas limitações humanas.

De que maneira reconciliar a pessoa que somos com a pessoa que poderíamos ser?

Vezes seguidas, tentações alternadas de inflação e depressão aparecem. Como é possível conter a totalidade dentro da psique humana? Como equilibrar extremos de pensamento e de sentimento, de espírito e de instinto? O psicólogo humanista Abraham Maslow ofereceu ideias iluminadoras a esse respeito com o seu conceito de autorrealização. Maslow achava que os psicólogos passavam tempo demais estudando pessoas desajustadas. E começou a estudar pessoas que rotineiramente funcionavam num nível melhor do que o médio. Nas pesquisas, ele pedia que as pessoas escolhessem figuras históricas que eram consideradas modelos excepcionais do que um ser humano poderia ser, e pedia-lhes que descrevessem por que as haviam escolhido.

Ao compilar esses levantamentos, ele descobriu que havia um amplo acordo a respeito de algumas pessoas significativas, como Beethoven, Thoreau, Abraham Lincoln, Albert Einstein. Embora cada uma destas fosse uma personalidade altamente individual, Maslow descobriu que um número reduzido de palavras era mencionado repetidamente para descrevê-las, tanto pelas pessoas pesquisadas como pelas biografias, palavras tais como completo, íntegro, justo, cheio de vida, simples, belo, confiável etc. E certo traço essencial destacava-se dentre todos os outros: tanto suas motivações como suas recompensas pareciam em grande medida advir de dentro de si (do Self, nos termos de Jung). Sendo assim, Maslow escolheu a adequada denominação de autorrealização para descrevê-los.

A essas figuras históricas, Maslow acrescentou algumas pessoas que ele conhecia bem e considerava dignas de serem incluídas. Embora nenhuma delas tivesse sido um Abraham Lincoln ou um Albert Einstein, tinham para Maslow uma nítida vantagem: ele podia aplicar-lhes uma variedade de testes psicológicos para avaliar com objetividade seus traços de caráter. Mais uma vez, os mesmos traços apareceram; mais uma vez, suas motivações eram interiores e não decorrentes de algum sistema externo de valores. Quando indagadas acerca de seus mais profundos valores, essas pessoas usaram palavras como justiça, beleza, verdade etc. Mas quando Maslow interrogou-as mais a fundo para saber o que queriam dizer com "justiça", por exemplo, descobriu que para aquele grupo justiça significava confiável, belo e completo etc. Da mesma forma, uma pessoa para quem o mais alto valor fosse a verdade considerava que verdade era ser justo e belo etc. No nível mais profundo possível, todos tinham os mesmos valores e simplesmente escolhiam um dado aspecto desse valor mais profundo que refletia sua personalidade individual.

Tendo em mãos um quadro bem definido das características de personalidade de homens e mulheres autorrealizados, Maslow dirigiu então suas pesquisas para pessoas normais em seus melhores momentos, que ele chamou de "experiências culminantes". Mais uma vez, ao descrever como tinham agido e se sentido durante esses momentos, essas pessoas usaram palavras como totalidade, beleza, verdade etc.

Maslow achou que havia demonstrado que a humanidade em seu melhor ângulo é autorrealizada, e não motivada por valores externos e recompensas materiais. Além disso, pessoas autorrealizadas, embora amplamente diferentes em suas personalidades, apresentavam mais semelhanças que disparidades em suas formas de abordar a vida e em seus valores mais prezados. As pessoas normais, que em geral não chegam a atingir as alturas de pessoas autorrealizadas, também são capazes de exibir características semelhantes em seus melhores momentos.

As ideias de Maslow tiveram imensa influência na psicologia dos anos 1960. Embora não fosse ele quem reagia contra a escola comportamentalista de psicologia então predominante, nessa ocasião, no cenário americano, ele foi a principal influência na criação de uma psicologia humanista (e, mais tarde, da psicologia transpessoal). Como dissemos no Capítulo 2 ao apresentar nossa descrição das concepções de Marshall McLuhan, pode ser uma maldição tornar-se extremamente popular depressa demais. Hoje em dia, Maslow caiu em desgraça (embora não tanto quanto McLuhan) e seu trabalho não é objeto de muitos estudos. Para muitas pessoas, ele continua sendo uma parte quase que esquecida dos anos 1960, como o LSD e as manifestações estudantis.

As conclusões de Maslow são tão importantes hoje quanto o foram na ocasião em que ele estava na moda. E ajustam-se muito bem ao conceito junguiano de processo de individuação e à relação entre o ego e o Self. Talvez Maslow tenha enfatizado demais a luz e esquecido a escuridão; talvez não tenha avaliado suficientemente as dificuldades da autorrealização. Beethoven, Thoreau, Lincoln, Einstein, por exemplo, passaram todos por intensos sentimentos de depressão ao longo de suas vidas. Essas experiências são comuns para aqueles que percorrem a fundo o caminho da individuação porque percebem que sempre existem mais trevas por enfrentar.

Mas, independentemente da escuridão que são forçados a confrontar, Maslow descobriu que as pessoas autorrealizadas permanecem mais saudáveis e são capazes de enfrentar tragédias que esmagariam as outras pessoas. Enquanto grupo, sentiam com mais profundidade os acontecimentos, sofriam com mais intensidade, mas depois eram mais capazes de deixar o sofrimento para trás e ir em frente com sua vida. Essas são pessoas que realizam coisas apesar de obstáculos aparentemente intransponíveis. Infelizmente, Maslow deixou de reconhecer que a totalidade que o atraía para pessoas autorrealizadas tinha sua fonte nas trevas. Essa excessiva ênfase na luz coloca o trabalho de Maslow em risco de ser uma apresentação pasteurizada da realidade. Não obstante, ele prestou um grande serviço ao nos recordar as possibilidades que todos temos.[16]

---

[16] Ver Abraham Maslow, *Toward a Psychology of Being* (Nova York: Van Nostrand Reinhold, 1968) e *Religion, Values and Peak Experiences* (Nova York: Penguin Books, 1976), obras nas quais estão os detalhes de seus estudos e teorias.

A CRIATIVIDADE E O SELF

> [...] colocamo-nos com a nossa alma em suspenso entre influências formidáveis de dentro e de fora, e de alguma maneira precisamos fazer justiça a ambas. Isso só podemos fazer depois de termos avaliado nossas capacidades individuais. Nesse sentido, devemos refletir sobre nós, não tanto com o que "temos o dever de" fazer, mas mais como o que *podemos* e *devemos* fazer.[17]

Não há meios de resumirmos o Self, nem de descrevermos adequadamente todos os desafios que a vida apresenta assim que a pessoa entabulou uma relação consciente com o Self. Embora o caminho da individuação tenha sido apresentado neste livro em três estágios separados – Sombra, Anima/Animus e Self –, existe um único processo contínuo, o da relação entre a consciência e o Self. Nosso confronto com a Sombra é, afinal de contas, uma tentativa de transcendência e de totalidade, embora num nível inferior. Não podemos começar a nossa integração com a nossa realidade total enquanto não encararmos antes quem somos e o que queremos.

O estágio da Anima e do Animus é, novamente, uma busca de totalidade. Como ser inteiros enquanto não estivermos dispostos a nos dilacerar nos conflitos morais diante das escolhas que têm que fazer todos aqueles que vivem sua vida a fundo?

---

[17] Carl Jung, *The Collected Works*, vol. 7, p. 397.

Quando o Self começa a aparecer em nossa vida costumam ocorrer vários efeitos colaterais incomuns. Por exemplo, não é raro haver grandes oscilações de emoções; não só as oscilações entre inflação e depressão, que já mencionamos como um fator central, mas também explosões de raiva ou de lágrimas que parece virem não se sabe de onde. Com frequência, ocorre alguma reação física relativamente extrema – um acesso de gripe, dores musculares intensas tanto localizadas como difusas, náusea. Fenômenos parapsicológicos também são comuns – variando desde pressentimentos quase sempre corretos até sonhos de precognição. Algumas pessoas sentir-se-ão fortemente atraídas pela natureza quase física da energia produzida pelo Self. Além disso, a inflação do ego fará com que muitos caiam na armadilha de se tornarem alguma espécie de guru quando o Self aparece.[18]

Tudo isso é uma consequência dos extremos da energia, o mana, produzida quando um canal é aberto através do Self até o inconsciente coletivo. Tal como dissemos a respeito da personalidade-mana, algum caminho precisa ser encontrado para descarregar essa energia antes de nos sentirmos tentados a dizer que

---

[18] Todas essas reações foram descritas em muitas tradições que têm caminhos explícitos para o desenvolvimento espiritual, como os hindus, os budistas, os índios americanos etc. São consideradas fenômenos de transição. Para uma descrição detalhada dessas reações dentro da tradição hindu da energia kundalini, ver o relato de Gopi Krishna a respeito de suas próprias experiências em *Kundalini: The Evolutionary Energy in Man* (Boston: Shambhala Publications, Inc., 1967).

ela é nossa, ou de sermos possuídos por ela e nos tornarmos um joguete em suas mãos. A humildade é um ponto de partida necessário, mas em si não basta. Depois de acionada, não há como impedir o fluxo de energia gerado pelo caminho até o inconsciente coletivo que o Self proporciona. Em vez disso, é preciso que encontremos uma maneira de usar essa energia *criativamente*.

As formas que a criatividade pode assumir são tão variadas quanto as pessoas envolvidas, mas toda forma de criatividade é, em essência, uma tradução de trevas em luz. Tudo o que é novo tem sua origem no inconsciente coletivo. Contudo, não é suficiente para nós servir de simples condutos apesar de toda a popularidade que a "canalização" desfruta hoje em dia. Embora o novo invariavelmente decorra do inconsciente, é a consciência que lhe confere uma forma explícita. Apartada do inconsciente, a consciência é vazia e invariável. Mas, quando desfruta de total e irrestrita liberdade, o inconsciente produz em série os mesmos símbolos invariáveis que vem usando ao longo de todos os milênios. É na relação entre consciência e inconsciente que algo de verdadeiramente novo e criativo aparece.

Conscientemente envolvida nessa relação, a vida se torna uma aventura repleta de desafios. Por volta desse estágio no processo de individuação não existe mais como retroceder. E o desafio é sempre o mesmo em essência: no exato instante em que alcançamos algum nível de totalidade em nossa vida, o inconsciente nos apresenta um novo desafio que abala por completo toda a nossa visão de realidade. E, uma vez que experiências novas desse tipo são intoleráveis, somos forçados a encontrar um significado para esse estranho mundo novo que nos desafia. Nas palavras do psicólogo Rollo May:

> [...] Você até pode viver sem um pai que o aceite, mas não consegue viver sem um mundo que lhe faça sentido.[19]

Temos que nos haver com o novo desafio e integrá-lo lentamente em nossa vida de maneira criativa. Cada vez que isso acontece, o inconsciente se nos apresenta com mais dados novos do que a consciência consegue entender e aceitar. Depois, assim que os novos dados tiverem sido integrados na nossa vida pessoal, ela pode ser criativamente partilhada com outros. Na maioria das vezes, o próprio processo de integração é mais bem alcançado quando tentamos criar algo novo para os outros.

Se não houvesse inconsciente coletivo, o inconsciente nada conteria que não fossem recordações e desejos pessoais ignorados ou reprimidos por nós. Seria preciso coragem para encarar algumas dessas recordações e desejos, mas tudo teria sido conteúdo do nosso campo consciente em algum momento e então teria sido integrado. Mas se há um inconsciente coletivo – e este livro inteiro é uma tentativa de apresentar as razões pelas quais Jung considerava que ele existisse –, a situação é muito diferente.

---

[19] Rollo May, *The Courage to Create* (Nova York: W. W. Norton & Company, 1975), p. 133.

O material arquetípico tem pouco ou nada a ver com nossa vida pessoal. Contém um mana imenso porque veio sendo armazenado ao longo de milênios através da evolução progressiva, não só da humanidade, mas também ao longo de toda a história evolutiva da própria vida. Quando esse material inconsciente confronta a consciência, vemo-nos diante do seguinte dilema: 1) a energia que possui é tão forte que precisamos desesperadamente encontrar um meio de contê-la; no entanto, 2) não temos recipientes já prontos na consciência para abarcá-la, pois ela não se encaixa em nosso sistema vigente de valores. Uma vez que estamos sendo confrontados por um material que vem do inconsciente coletivo, não temos recursos conscientes imediatamente disponíveis para estruturar esse material.

Esse é o desafio do processo de individuação. De alguma maneira, precisamos descobrir alguma conexão pessoal com as imagens, sentimentos e comportamentos arquetípicos. Aos poucos, temos que ir discernindo o que podemos relacionar com a vida pessoal do que é material que pertence às diversas eras da vida. Apesar de este ser um processo extraordinariamente difícil, também pode ser pródigo em suas recompensas. A vida adquire um propósito que, por vir do cerne interior, jamais poderá ser esgotado.

As percepções essenciais que obtemos de cada estágio do processo de individuação são simples quando vistas em retrospecto. Mas, a menos que lutemos em cada estágio com unhas e dentes, essas conquistas do entendimento nada mais serão que homilias; é a batalha que confere ressonância a cada pessoa.

Lembre-se de que o mundo é muito, muito antigo e que a consciência é muito, muito recente. Ela ainda está longe de poder oferecer um par adequado de óculos com os quais enxergar toda a realidade.

Do estágio da Sombra aprendemos que o "outro" desprezível é na realidade nós mesmos. Assim que percebermos que, essencialmente, estamos olhando num microscópio e vendo-nos lá dentro a devolver o olhar, torna-se cada vez menos necessário denegrir diferenças. Essas diferenças são todas futuras possibilidades. Mas, tendo-nos destacado do mundo com o intuito de isolarmos a parte do mundo que é realmente nossa, chega então o momento de descobrir o que é de fato o resto do mundo.

Do estágio da Anima e do Animus aprendemos que não estamos sós, que nossa vida inteira é um relacionamento. A qualquer momento dado da nossa existência estamos ligados a vínculos que nos conectam a outras ligações, que em cadeia terminam conectando todas as pessoas, animais, montanhas e riachos. Esse maravilhoso paradoxo consiste no fato de cada pessoa ser o centro dessa surpreendente e notável rede de relacionamentos. Depois de termos nos dado conta de que é impossível estar efetivamente isolados do mundo, precisamos encontrar um meio para podermos conter mais que a totalidade humana em nós.

Por fim, do Self aprendemos que a totalidade que buscamos é a nossa natureza essencial. A alienação que tantas vezes sentimos, a cisão interior que nos causa tanto sofrimento, é criada pela consciência, quando a mobilizam o medo e a ignorância.

A consciência ainda é imatura e pensa que deve ser capaz de conter tudo em compartimentos pequenos e bem arrumadinhos. Quando não o consegue, fica com medo e ergue paredes ainda mais resistentes entre as várias categorias. Às vezes, ela fica tão receosa que termina se emparedando e não consegue mais sair.

> Sentir que o Self é uma coisa irracional, um existente indefinível, ao qual o ego nem se opõe nem se submete, mas apenas se vincula, e em torno do qual revolve tal como a Terra em volta do Sol – assim é que chegamos ao objetivo da individuação.[20]
>
> O homem não muda, na morte, em sua parte imortal; ele é mortal e imortal ainda em vida, pois é tanto ego como Self.[21]

Gradualmente, à medida que vai arrefecendo o nosso medo do "deus dentro de nós", à medida que a nossa arrogante usurpação de poderes e introvisões se esvai, o Self se torna tanto um espelho de quem somos, a qualquer momento dado, quanto um espelho de quem poderemos vir a ser. No começo, a distância entre ambas as posições parece assombrosa. Mas, aos poucos, acabamos vendo que o problema não é a distância entre a nossa realidade e as nossas possibilidades, pois existe em nós uma parte ainda maior que pode comportar as duas.

---

[20] Carl Jung, *The Collected Works*, vol. 7, p. 405.

[21] Carl Jung, *The Collected Works*, vol. 5, p. 384, n. r. 182.

POSFÁCIO

Toda tentativa de resumir os trabalhos de Jung seria necessariamente ou longa demais, ou muito esquemática. Quando escrevi esta introdução à psicologia junguiana, fiz muitas escolhas difíceis quanto ao que incluir e o que excluir. Sem dúvida, a ideia central à psicologia de Jung é a existência do inconsciente coletivo e a nossa relação com o mesmo por meio do processo de individuação. Optei por estruturar esse volume para iniciantes em torno do processo de individuação. Ao proceder dessa maneira, apresentei alguns poucos elementos da vida de Jung para que o leitor pudesse ver de que modo ele chegou a conclusões tão espantosas.

Uma das principais coisas que mais me atraiu na psicologia junguiana foi que ela realizava o notável feito de vencer a distância entre os mundos científico e espiritual. Tentei abordar ambos os lados neste livro (inclusive acrescentando uma quantidade razoável de corroborações científicas para a sua visão de mundo que na época em que viveu não estavam ainda disponíveis). Mas a fim de manter este livro tão abreviado quanto possível, vi-me na contingência de limitar as duas questões até o ponto em que só um resquício de ambos os interesses de Jung permanecem.

Dentro do campo da ciência, em particular, tive que ignorar a descoberta conjunta de Jung e do físico Wolfgang Pauli a respeito da natureza *psicoide* da realidade,[1] segundo a qual um mundo unitário está por baixo tanto do mais profundo nível arquetípico como do mais profundo nível quântico da matéria. Um dos mais significativos e influentes conceitos de Jung – *sincronicidade* – decorreu dessa descoberta. Em breves palavras, sincronicidade é o conceito de que existem, no mundo, conexões acausais entre pessoas, lugares e coisas.[2] A sincronicidade (conquanto sob outras denominações) está se tornando cada vez mais largamente aceita pela ciência contemporânea por causa do extenso endosso experimental proporcionado pelo Teorema de Bell, na física. Segundo esse teorema, partículas subatômicas permanecem ligadas de alguma maneira acausal mesmo quando exatamente separadas no espaço.

---

1 Carl Jung; Wolfgang Pauli, *The Interpretation of Nature and the Psyche* (Nova York: Pantheon Books, 1955, Bollingen Series).

2 Acausal significa, simplesmente, *não* atribuível a uma rede causa-efeito de ordem física.

A sincronicidade e a natureza psicoide da realidade também estão intimamente ligadas à hipótese formulada por Jung de que os números são o mais primitivo arquétipo de ordem, e nessa medida constituem a ponte entre os mundos interior e exterior. A colega de Jung, Marie-Louise von Franz, ampliou esse trabalho em seu livro *Number and Time*.[3] Essa é uma área pela qual muito me interesso.

Mal mencionei o minucioso trabalho de elaboração feito por Jung sobre arquétipos centrais como os da Criança, do Pai, da Mãe, do Trapaceiro, do Herói etc. Os psicólogos junguianos escreveram prolificamente a respeito desses e de outros arquétipos.

Um dos temas mais importantes da psicologia junguiana que precisei deixar de fora neste livro é o uso que ela faz da alquimia como modelo para o processo da individuação. Infelizmente, essa é uma área muito complexa. Tanto Marie-Louise von Franz como Edward Edinger levaram mais adiante o trabalho de Jung nessa área, mas até o momento ninguém escreveu para o público em geral uma introdução deste que é um material tão valioso.

Existem muitos livros significativos a respeito de psicologia junguiana. Contudo, recomendo ao leitor que leia os trabalhos que ele mesmo escreveu. Jung tem a imerecida reputação de ser um autor difícil de ler. Usando-se este livro como um guia de percurso para entender a estrutura e a dinâmica do inconsciente

---

[3] Marie-Louise von Franz, *Number and Time* (Evanston, ILL: Northwestern University Press, 1974).

coletivo, o leitor pode ter a liberdade de mergulhar em qualquer um dos trabalhos de Jung, e existem quase todos em português (em inglês e alemão todos, em brochura e em capa dura). Também existem muitas coletâneas de alto nível com material junguiano atinente a tópicos específicos, como sonhos, arquétipos mais importantes etc. Provavelmente, a melhor introdução aos próprios textos de Jung seja sua autobiografia espiritual *Memórias, Sonhos, Reflexões.*[4] Espero que este livro tenha podido abrir os olhos do leitor para uma visão bem distinta da realidade, e pelo menos despertado o seu apetite para uma investigação da psicologia junguiana e do seu próprio processo de individuação.

---

4 Carl Jung, *Memories, Dreams, Reflections* (Nova York: Pantheon Books, edição revista, 1973). Esse livro foi publicado em português com o título *Memórias, Sonhos, Reflexões*.

REFERÊNCIAS BIBLIOGRÁFICAS

Bennet, E. A., 1985. *Meetings with Jung*. Zurique: Daimon Verlag. O psicoterapeuta inglês E. A. Bennet foi por muito tempo amigo de Jung. Este livro contém anotações de diário do autor, em que registra suas conversas com Jung durante os últimos quinze anos de vida deste último.

BMB, 29 de março de 1982. Los Angeles: Brain/Mind Bulletin. Descreve como o psiquiatra William Gray ampliou a teoria do cérebro triuno proposta por Paul MacLean.

Bro, Harmon H., 1985. *Dreams in the Life of Prayer & Meditation: The Approach of Edgar Cayce*. Virginia Beach, VA: Inner Vision. Repleto de informações de ordem prática resumindo a forma como Edgar Cayce aborda o mundo dos sonhos, grande parte do qual se coaduna muito bem com o trabalho de sonhos proposto por Jung.

Campbell, Joseph, 1990. *The Hero with a Thousand Faces* (ed. rev.). Princeton: Princeton University Press. Bollingen Series, nº XVII.

[*O Herói de Mil Faces*. Tradução de Adail Ubirajara Sobral. São Paulo: Pensamento, 1989.] Melhor apresentação do processo da individuação retratado por meio dos estágios da "jornada do herói".

Campbell, Joseph (org.), 1971. *The Portable Jung*. Nova York: Penguin Books. Melhor volume de coletânea de textos de Jung. Contém uma valiosa cronologia dos principais eventos da vida de Jung.

Donn, Linda, 1988. *Freud and Jung: Years of Friendship, Years of Loss*. Nova York: Charles Scribner's Sons. Melhor e mais confiável descrição da relação entre Freud e Jung.

Edinger, Edward. F., 1972. *Ego and Archetype*. Baltimore: Penguin Books. [*Ego e Arquétipo*. Tradução de Adail Ubirajara Sobral. São Paulo: Cultrix, 2ª ed., 2020.] Um dos poucos livros realmente junguianos por um autor que não o próprio Jung. Acompanha o processo de individuação pela observação da dinâmica da relação entre ego e Self.

Ferguson, Marilyn, 1973. *The Brain Revolution*. Nova York: Taplinger Publishing Company. Contém a maravilhosa anedota sobre a memória dependente do estado em que a pessoa se encontra, que aparece num filme de Charlie Chaplin.

Ferguson, Marilyn; Coleman, Wim; Perrim, Pat, 1990. *PragMagic*. Nova York: Pocket Books. Inclui seções que resumem boa parte dos trabalhos recentes sobre sono e sonhos, e memória.

Freuchen Peter, 1961. *Books of the Eskimos*. Cleveland, OH: The World Publishing Company. Um retrato inteiramente fascinante dos esquimós por um europeu simpatizante que veio a conhecê-los e amá-los, no período em que sua cultura estava apenas começando a ser esmagada pelo Ocidente.

Gardner, Howard, 1985. *The Mind's New Science*. Nova York: Basic Books. Uma excelente síntese de uma grande variedade de descobertas científicas atuais, que foram reunidas sob o rótulo geral de ciência cognitiva.

Grant, John, 1984. *Dreamers: A Geography of Dreamland*. Londres: Grafton Books. Útil em sua extensa compilação de sonhos por categorias e não tanto pela análise que apresenta dos mesmos.

Hannah, Barbara, 1976. *Jung: His Life and Work*. Nova York: Capricorn Books/ G. P. Putnam's Sons. Comovente descrição da vida de Jung do ponto de vista de uma de suas discípulas mais próximas.

Hartmann, Ernest, 1988. "Sleep". In Armand M. Nicholi, Jr., M. D. (org.), *The New Harvard Guide to Psychiatry*. Nova York: Beknap Press. Contém algumas pesquisas atualizadas sobre sono e sonhos.

Humphrey, Nicholas, 1984. *Consciousness Regained*. Oxford: Oxford University Press. A teoria de Humphrey a respeito do propósito dos sonhos é discutida no Capítulo 3.

Jacobi, Jolande; Hull, R. F. C. (orgs.), 1973. *C. G. Jung: Psychological Reflections*. Princeton: Princeton University Press. Bollingen Series. Excepcional coletânea de excertos curtos das obras completas de Jung, organizada por tópicos.

Jaffé, Aniela, 1984. *Jung's Last Years* (ed. rev.). Dallas, TX: Spring Publications. Aniela Jaffé foi a secretária particular e uma companheira de trabalho de Jung no fim de sua vida. Vemos a imagem do gênio ainda ativo em seus últimos anos, mas também aparece o Jung irritável e aparentemente não em paz consigo mesmo.

Jenks, Kathleen, 1975. *Journey of a Dream Animal*. Nova York: Julian Press. Livro singular que registra a "busca humana" (de uma mulher) por sua identidade pessoal, por meio de seus sonhos. Por ter passado sozinha por esse processo, sem o recurso de uma análise, suas introvisões são pessoais e foram árduas conquistas. Não consigo imaginar alguém que trabalha com sonhos não aprendendo muito com este livro.

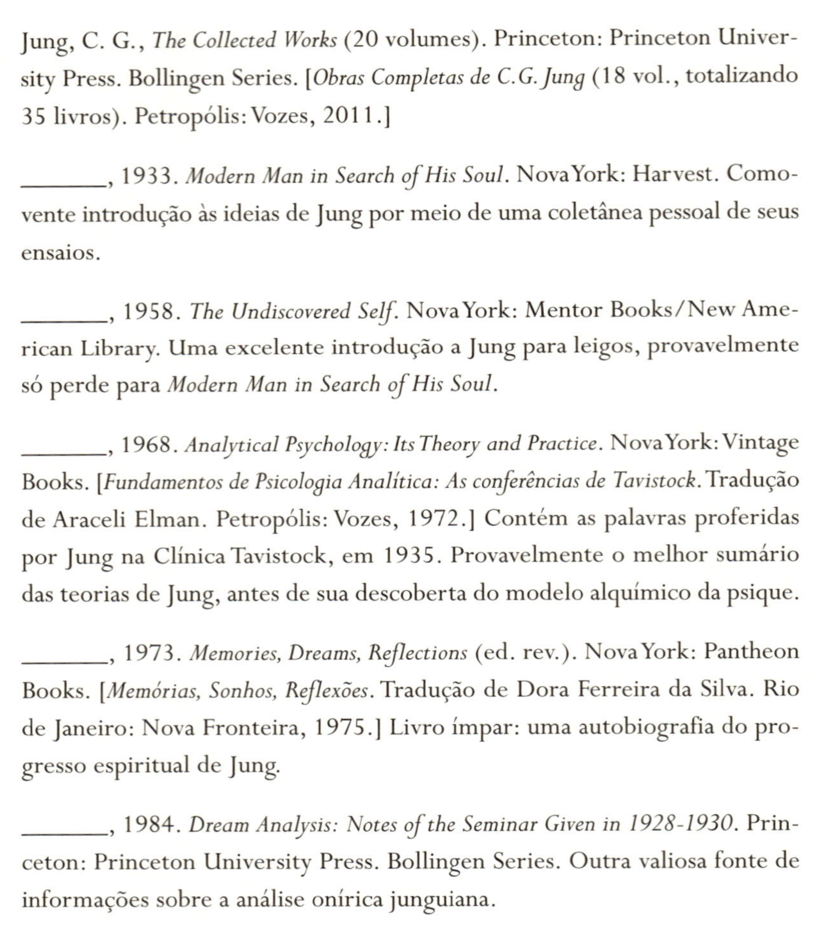

Jung, C. G., *The Collected Works* (20 volumes). Princeton: Princeton University Press. Bollingen Series. [*Obras Completas de C.G. Jung* (18 vol., totalizando 35 livros). Petropólis: Vozes, 2011.]

_______, 1933. *Modern Man in Search of His Soul*. Nova York: Harvest. Comovente introdução às ideias de Jung por meio de uma coletânea pessoal de seus ensaios.

_______, 1958. *The Undiscovered Self*. Nova York: Mentor Books/New American Library. Uma excelente introdução a Jung para leigos, provavelmente só perde para *Modern Man in Search of His Soul*.

_______, 1968. *Analytical Psychology: Its Theory and Practice*. Nova York: Vintage Books. [*Fundamentos de Psicologia Analítica: As conferências de Tavistock*. Tradução de Araceli Elman. Petropólis: Vozes, 1972.] Contém as palavras proferidas por Jung na Clínica Tavistock, em 1935. Provavelmente o melhor sumário das teorias de Jung, antes de sua descoberta do modelo alquímico da psique.

_______, 1973. *Memories, Dreams, Reflections* (ed. rev.). Nova York: Pantheon Books. [*Memórias, Sonhos, Reflexões*. Tradução de Dora Ferreira da Silva. Rio de Janeiro: Nova Fronteira, 1975.] Livro ímpar: uma autobiografia do progresso espiritual de Jung.

_______, 1984. *Dream Analysis: Notes of the Seminar Given in 1928-1930*. Princeton: Princeton University Press. Bollingen Series. Outra valiosa fonte de informações sobre a análise onírica junguiana.

Jung, C. G.; Pauli, W., 1955. *The Interpretation of Nature and the Psyche*. Nova York: Pantheon Books. Bollingen Series. Contém o inexcedível trabalho de Jung, "Synchronicity: An Acausal Connecting Principle", e o de Pauli, "The Influence of Archetypal Ideas on the Scientific Theory of Kepler".

Krishna, Gopi, 1967. *Kundalini: The Evolutionary Energy in Man*. Boston: Shambhala Publications. Relato pessoal do assustador poder que a energia Kundalini ativou em Gopi Krishna.

Kronenberger, Louis (org.), 1947. *The Portable Johnson & Boswell*. Nova York: Viking Press. Contém excertos da obra de Boswell, *Life of Johnson*, incluindo a suposta refutação do bispo de Berkeley por Johnson.

LaBerge, Stephen, Ph.D., 1985. *Lucid Dreaming*. Nova York: Ballantine Books. Primeiro livro a respeito de sonhos lúcidos, escrito por um pioneiro nas pesquisas dessa área.

Laszlo, Violet S. de, 1958. *Psyche and Symbol*. Garden City: Doubleday Anchor Books. Uma excelente coletânea em volume único dos textos de Jung, que complementa a escolha editorial de Campbell para *The Portable Jung*.

Lorenz, Konrad, 1952. *King Solomon's Ring*. Nova York: Crowell. Livro delicioso. Contém a história e as fotografias do filhote de ganso, que "fez o *imprinting*" do arquétipo da Mãe em Lorenz.

Loye, David, 1983. *The Sphinx and the Rainbow*. Nova York: Bantam. Apresentação magistral e popular de praticamente tudo que se sabe a respeito do cérebro.

Luce, Gay Gaer; Segal, Julius, 1967. *Sleep*. Nova York: Lancer Books. Apesar de duas décadas mais velho, continua sendo o melhor volume escrito sobre a maioria das principais pesquisas sobre sonhos. Praticamente a única área não mencionada é a dos sonhos lúcidos, a mais recente de todas.

Marchand, Philip, 1989. *Marshall McLuhan: The Medium and The Messenger*. Nova York: Ticknor & Fields. Uma biografia fácil de ler, que aborda tanto o profeta como o charlatão em McLuhan.

Maslow, Abraham, 1968. *Toward a Psychology of Being*, Nova York: Van Nostrand Reinhold. O livro mais importante de Maslow. Registra a maioria de suas ideias centrais a respeito da autorrealização.

_______, 1976. *Religion, Values and Peak-Experiences*. Nova York: Penguin Books. Estudos de Maslow sobre as experiências culminantes e as experiências nadir.

May, Rollo, 1975. *The Courage to Create*. Nova York. W. W. Norton & Company. Como Jung, Rollo May considera a criatividade o desafio último do processo de individuação.

McLuhan, Marshall, 1982. *The Gutenberg Galaxy: The Making of Typographic Man*. Toronto: University of Toronto Press. Livro radicalmente inovador de McLuhan que apresenta pela primeira vez sua teoria de que a invenção dos tipos móveis provocou uma mudança na consciência humana.

_______, 1964. *Understanding Media: The Extensions of Man*. Nova York: Signet Books. [*Os Meios de Comunicação como Extensões do Homem*. Tradução de Décio Pignatari. São Paulo: Cultrix, 1969.] McLuhan escreveu aqui seu mais importante trabalho. Como todos os seus livros, sua quase que total ausência de qualquer organização normal torna a leitura ao mesmo tempo deliciosa e frustrante.

Metzner, Ralph, 1979. *Know Your Type*. Nova York: Anchor. Compilação extremamente abrangente de quase todo sistema tipológico importante já inventado.

Otto, Rudolf, 1950. *The Idea of the Holy*. Londres: Oxford University Press. Reimpressão em brochura, 1958. É o trabalho mais famoso de Otto, no qual menciona pela primeira vez o conceito do aspecto "numinoso" da realidade.

Pribram, Karl, 1981. "The Brain". In Alberto Villoldo e Ken Dychtwald (orgs.), *Millennium: Glimpses into the 21st Century*. Los Angeles: J. P. Tarcher. Relato do próprio Pribram sobre as pesquisas que o levaram à descoberta do modelo holográfico do cérebro.

Reed, Henry (org.), 1977-1979. *Sundance Community Dream Journal*. Virginia Beach, VA: A. R. E. Press. Um dos mais fascinantes diários de todos os tempos: um registro de um experimento comunitário em andamento, sobre pesquisa de sonhos, dentro das referências sugeridas por Edgar Cayce. O dr. Henry Reed organizou essa obra e desenvolveu muitas técnicas singulares de trabalho com sonhos.

_______, 1985. *Getting Help from Your Dreams*. Virginia Beach, VA: Inner Vision. Um dos verdadeiros pioneiros da pesquisa *significativa* com sonhos fala de muitas de suas técnicas de uso de sonhos para ajudá-lo a levar uma vida mais significativa.

Reese, W. L., 1980. *Dictionary of Philosophy and Religion*. Atlantic Highlands, NJ: Humanities Press. Enciclopédia de filosofia em um só volume gigantesco, mas fácil de ler. Útil como rápida fonte de consulta para muitos dos conceitos apresentados neste livro.

Robertson, Robin, 1987. *C. G. Jung and the Archetypes of The Collective Unconscious*. Nova York: Peter Lang. Faz o percurso da história do conceito de arquétipos do inconsciente coletivo, primeiro na filosofia que levou à psicologia de Jung, depois na matemática que levou à prova de Kurt Gödels de que a matemática é necessariamente incompleta.

Robertson, Robin, 1990. *After the End of Time: Revelation and the Growth of Consciousness*. Virginia Beach, VA: Inner Vision. Considera o Apocalipse (Bíblia) como se fosse um grande sonho a respeito de uma transição na consciência. Desenvolve muitos temas que foram apenas indicados neste livro.

Rose, Steven, 1976. *The Conscious Brain*. Nova York: Vintage Books. Especialmente bom quando se trata de apontar a necessidade de transcender o dualismo cérebro/mente.

Rosenfield, Israel, 1988. *The Invention of Memory*. Nova York: Basic Books. Apresenta a teoria do ganhador do Prêmio Nobel, o imunologista Gerald Edelman, que fala do "darwinismo neural". Essa teoria sustenta que a memória é uma atividade criativa.

Rossi, Ernest Lawrence, 1980. "As Above, so Below: The Holographic Mind". *Psychological Perspectives*, outono de 1990. Descreve a teoria de Pribram da mente holográfica e a relaciona tanto ao misticismo como à psicologia de Jung.

_______, 1985. *Dreams and the Growth of Personality*. Nova York: Brunner/Mazel. [*Os Sonhos e o Desenvolvimento da Personalidade*. Tradução de George Schlesinger. São Paulo: Summus Editorial, 1982.] Combina as mais recentes pesquisas sobre sonhos com experiências práticas relatadas por um paciente individual, segundo uma perspectiva junguiana. Repleto de esclarecimentos sobre o processo onírico. Altamente recomendado.

_______, 1986. *The Psychobiology of Mind-Body Healing*. Nova York: W. W. Norton & Company. Contém um capítulo sobre aprendizagem e memória dependentes do estado em que a pessoa se encontra.

Russell, Peter, 1979. *The Brain Book*. Nova York: Hawthorn Books. Excelente resumo popular das informações mais recentes sobre o cérebro.

Russo, Richard A. (org.), 1987. *Dreams are Wiser than Men*. Berkeley: North Atlantic Books. Maravilhosa coletânea de ensaios, poemas e anedotas a respeito de sonhos.

Sagan, Carl, 1977. *The Dragons of Eden: Speculations of the Evolution of Human Intelligence*. Nova York: Ballantine Books. Descreve o modelo de cérebro triuno de Paul MacLean.

Sanford, John A., 1991. *Soul Journey: A Jungian Analyst Looks at Reincarnation*. Nova York: Crossroad Publishing Company. O melhor livro acadêmico escrito sobre reencarnação. Contém uma história maravilhosa do conceito religioso de alma.

Sharp, Daryl, 1991. *Jung Lexicon: A Primer of Terms & Concepts*. Toronto: Inner City Books. Proveitoso para os novatos na psicologia junguiana, especialmente porque as definições são recheadas de citações extraídas de Jung. [*Léxico Junguiano – Dicionário de Termos e Conceitos*. Tradução de Raul Milanez. São Paulo: Cultrix, 1993. (fora de catálogo)]

Sheldrake, Rupert, 1981. *A New Science of Life: The Hypothesis of Formative Causation*. Los Angeles: J. P. Tarcher. Usa dados da psicologia comportamental para endossar o conceito de campos morfogenéticos, que correspondem de perto aos arquétipos de Jung.

_______, 1987. "Mind, Memory and Archetype". In *Psychological Perspectives*, primavera de 1987. Los Angeles: C. G. Jung Institute. Discute o conceito de que a memória não está localizada no cérebro.

Snow, C. P., 1968. *The Sleep of Reason*. Nova York: Charles Scribner's Sons. Um dos romances dos onze volumes da série "Estranhos e Irmãos", de Snow. Discute o julgamento de duas mulheres que a sangue-frio torturaram um garotinho.

Stern, Paul J., 1976. *C. G. Jung: The Haunted Prophet*. Nova York: George Braziller. [*C. G. Jung, o profeta atormentado*. São Paulo: Difel, 1977.] Biografia hostil de Jung. Deve ser lida com cautela.

Stillinger, Jack (org.), 1965. *William Wordsworth: Selected Poems and Prefaces*. Boston: Houghton Mifflin Company. Além de "Tintern Abbey", citado neste livro, os leitores devem examinar a obra-prima épica de Wordsworth, "The Prelude".

Storr, Anthony, 1983. *The Essential Jung*. Princeton, NJ: Princeton University Press. Uma nova compilação em volume único de excertos de textos de Jung, que algumas pessoas acham melhor que o pioneiro *The Portable Jung*, de Campbell.

Vallant, George E., 1977. *Adaptation to Life: How the Best and The Brightest Came of Age*. Boston: Little, Brown & Company. Um sensato e bem escrito resumo dos resultados da Pesquisa Grant.

Von Franz, Marie-Louise, 1974. *Number and Time*. Evanston, IL: Northwestern University Press. Desenvolve uma hipótese tardia de Jung, segundo a qual o número é o mais primitivo arquétipo de ordem.

_______, 1975. *C. G. Jung: His Myth in our Time*. Nova York: C. G. Jung Foundation for Analytical Psychology/G. P. Putnam's Son. [*C. G. Jung: seu Mito em nossa Época*. Tradução de Adail Ubirajara Sobral. São Paulo: Cultrix, 1992. (fora de catálogo)]. Uma biografia tanto da vida de Jung como de seu desenvolvimento psíquico. Nesse sentido, é um companheiro ideal de trabalho ao *Memórias, Sonhos, Reflexões* do próprio Jung.

Von Franz, Marie-Louise; Hillman, James, 1971. *Jung's Typology*. Dallas, TX: Spring Publications. Um verdadeiro tesouro de informações sobre a teoria junguiana dos tipos psicológicos. Contém tanto "The Inferior Function", de Von Franz, como "The Feeling Function", de Hillman. [*A Tipologia de Jung*. Tradução de Ana C. P. Marcelo, Wilma R. Pellegrim e Adail Ubirajara Sobral. São Paulo: Cultrix, 2ª ed., 2016.]

Watson, Peter, 1982. *Twins: An Uncanny Relationship?* Nova York: Viking Press. As histórias de Watson a respeito das correspondências na vida de gêmeos idênticos, separados desde cedo, oferecem uma poderosa corroboração para o conceito de Jung de que o processo de individuação tem base arquetípica.

Wehr, Gerhard, 1987. *Jung: A Biography*. Boston: Shambhala Publications. Biografia maciça e mal escrita de Jung, mas que contém muito material proveitoso para referências, que não aparece em nenhuma outra fonte.

Whitmont, Edward, 1969. *The Symbolic Quest*. Princeton, NJ: Princeton University Press. [*A Busca do Símbolo: Conceitos Básicos de Psicologia Analítica*. Tradução de Eliane Fittipaldi Pereira e Kátia Maria Orberg. São Paulo: Cultrix, 1990. (fora de catálogo)]. Introdução padrão ao pensamento de Jung, escrito num nível mais técnico do que o livro que você está lendo.

Wilhelm, Richard (trad.), 1962. *The Secret of the Golden Flower*. Nova York: Harvest. Tradução de um antigo texto alquímico chinês. Contém uma introdução e um comentário de Jung, no qual explica como este foi o primeiro livro que o levou a compreender o substrato alquímico do psiquismo.

Impresso por :

Graphium
gráfica e editora

Tel.:11 2769-9056